KARYN SIEGEL - MAIER

MAMAN [illegible]R
BÉBÉ BONHEUR

500 conseils câlins

hachette
PRATIQUE

Édition originale publiée en 2009 aux États-Unis, sous le titre *Happy Baby, Happy You, 500 Ways to Nurture the Bond with Your Baby*, par Storey Publishing LLC, 210 MASS MoCA Way, North Adams, MA 01247

Direction artistique : Alethea Morrison
Conception graphique (couverture et intérieur) : Jessica Hische
Index : Nancy D. Wood

Édition française

Traduction : Anne-Marie Naboudet-Martin
Édition : Anne Le Meur et Dorica Lucaci
Réalisation : Patrick Leleux
Fabrication : Amélie Latsch
Partenariats : Sophie Morier-Augereau (smorier@hachette-livre.fr ;
tél. 01 43 92 33 71)

Produit complet Unigraf SL (Espagne)
ISBN : 978-2-01-238061-5
Dépôt légal : février 2010

23-28-8061-01-6

À mes parents, avec tout mon amour.

....

Remerciements particuliers à Deborah Balmuth, Lisa Hiley et Melinda Sheehan

SOMMAIRE

INTRODUCTION

Être parent est l'une des tâches les plus difficiles qui soient. C'est aussi l'une de celles auxquelles on se sent le moins bien préparé. Quand on devient parents pour la première fois, on a vite le sentiment d'être submergé par la somme de responsabilités qu'implique l'arrivée d'un nouveau-né. Et l'expérience ne dispense pas des moments d'exaspération et de désespoir. Mais tout occupés qu'ils sont à satisfaire les besoins basiques de leur bébé, les parents doivent avoir conscience que leur petit ange ne sera pas longtemps petit et que chaque événement, même ordinaire, représente pour lui un pas en avant, une occasion de grandir.

Dorloter un bébé est quelque chose de naturel : un baiser, un câlin ou quelques mots tendres chuchotés à l'oreille de son petit sont des gestes spontanés chez un parent aimant. Outre ces marques d'affection, les parents peuvent influer positivement sur le développement psychique et physique de leur enfant de bien d'autres manières.

Ce livre n'est pas un traité d'éducation. Il existe suffisamment d'ouvrages pour vous aider à régler les problèmes de jalousie entre frères et sœurs, de maladies infantiles ou d'apprentissage de la propreté. Cet ouvrage vous propose des idées simples et de bon sens pour accompagner votre enfant tout au long de sa première année de vie, afin d'assurer son bien-être, de lui donner confiance en lui et de créer un lien durable avec lui. Les fruits que vous en récolterez marqueront sa vie entière et persisteront même au-delà, à travers les générations futures.

En tant que parents, vous souhaitez naturellement ce qu'il y a de mieux pour votre bébé. Mais le meilleur cadeau que vous puissiez lui faire n'est pas de l'inscrire dans le lycée le plus réputé ni de lui offrir des vacances à EuroDisney ; c'est de lui faire don de vous-même. Cet ouvrage vous aidera à le faire d'une façon nouvelle ou à laquelle vous n'aviez peut-être jamais pensé.

Élever un enfant est une véritable aventure. C'est un engagement pour la vie, qui sera jalonné de hauts et de bas. Profitez-en bien !

Mise en garde

Tous les ingrédients utilisés dans les préparations figurant dans ce livre sont en vente dans les boutiques bio, en supermarché ou dans certaines boutiques en ligne. Les adresses données dans la partie « Ressources » vous aideront à les trouver.

Mesurez toujours soigneusement les ingrédients et conservez-les hors de portée des enfants et des animaux domestiques. Les huiles essentielles sont très concentrées et doivent être utilisées avec précaution. Ne les employez jamais pures, sauf indication contraire, ou à des niveaux de dilution supérieurs à ceux conseillés. Elles sont exclusivement destinées à un usage externe.

En cas d'éruption cutanée, de rougeur ou d'irritation de la peau consécutifs à l'utilisation d'une préparation ou d'un ingrédient, cessez leur usage et consultez un médecin.

Voici mon secret. Il est très simple :
on ne voit bien qu'avec le cœur.
L'essentiel est invisible pour les yeux.

(Antoine de Saint-Exupéry, *Le Petit Prince*)

Chapitre 1
LA PRÉPARATION DU NID

CHAPITRE 1

Vous veillez attentivement à la qualité de l'alimentation de votre bébé pour lui assurer une bonne santé, mais avez-vous pensé aux polluants présents dans son environnement ? Les meubles, les peintures et certains matériaux peuvent dégager des émanations de substances chimiques potentiellement dangereuses sans qu'on s'en rende compte. En fait, le niveau moyen de pollution est bien plus important à l'intérieur des maisons qu'à l'extérieur. Utilisez des matériaux non toxiques pour faire de la chambre de votre enfant un endroit aussi sûr que douillet.

Une chambre d'enfant à ranger,
c'est une vie à construire.

Daniel Pennac, *Messieurs les enfants*.

OPTEZ POUR LES MATÉRIAUX NATURELS

Habillez votre bébé avec des vêtements en tissu bio (coton, chanvre, laine, lin...). Ces tissus sont plus doux et ne contiennent pas de produits chimiques ou de colorants toxiques. Ils sont, par ailleurs, disponibles dans de jolies couleurs chaudes proches de celles de la nature. Ils sont aussi meilleurs pour l'environnement. La laine polaire naturelle, par exemple, est souvent produite à partir des bouteilles en plastique recyclées, sans production de déchets. La fabrication des vêtements en laine bio se fait sans recours aux pesticides. Aujourd'hui, on utilise même la fibre de soja et de bambou.

Outre le fait qu'ils sont plus confortables et solides, ces matériaux, issus d'une source renouvelable, sont biodégradables. L'étiquette doit mentionner un écolabel (il en existe plusieurs en Europe), certifiant que le vêtement a bien été produit conformément aux normes en vigueur.

La literie que vous mettrez dans le lit à barreaux de votre bébé a aussi son importance. Optez pour un tour de lit, un protège-matelas et un oreiller (ce dernier ne servira pas tout de suite) enveloppés et garnis de coton ; non seulement ils sont plus doux et plus confortables que ceux en matériaux synthétiques, mais ils durent aussi plus longtemps et ne contiennent pas de résidus chimiques. Qui plus est, les fibres naturelles permettent une meilleure circulation de l'air et ne piègent pas les odeurs. Un matelas en matériau biologique est aussi à privilégier.

Enveloppez votre bébé dans une couverture naturelle, en évitant ainsi les fibres synthétiques ou le coton cultivé avec des pesticides. Plusieurs fabricants proposent des couvertures en coton ou en velours de bambou-coton (80 % de bambou et 20 % de coton) 100 % biologiques. Elles durent des années et apportent un confort douillet.

Les vide-greniers et les ventes aux enchères sont des endroits extraordinaires pour trouver des meubles originaux pour la chambre d'un bébé. Toutefois, si vous investissez dans du mobilier d'occasion ou que vous utilisez de vieux meubles qu'on vous a donnés, vérifiez-en les éléments pour éviter tout risque de blessure. Vous pouvez aussi les décaper et les rénover avec une peinture ou une lasure naturelles et utiliser un vernis de finition non toxique.

Le futon a-t-il sa place dans une chambre d'enfant ? Bien sûr ! Les futons ne sont plus exclusivement réservés aux adultes. Plusieurs fabricants proposent des futons pour lits d'enfants produits avec des matériaux entièrement naturels et non toxiques. Pour un nouveau-né, le moïse (sorte de panier en osier) est une bonne alternative au berceau classique.

UN DÉCOR DE RÊVE

Peignez des nuages, des étoiles, des soleils et des lunes sur un mur de la chambre ou sur le plafond ! Ces représentations fantastiques apaiseront et divertiront votre bébé, et elles stimuleront en même temps son imagination créatrice.

Choisissez un thème. Oubliez le traditionnel bleu pour les garçons et rose pour les filles, et optez pour un thème et des couleurs unisexes. Pourquoi pas un décor de jungle, avec quelques animaux sauvages (en peluche) et des murs peints ou tapissés évoquant la forêt amazonienne ? Ou encore un jardin fantastique avec une vigne et des fleurs aux couleurs vives grimpant sur un treillage ?

ASTUCE

Distrayez votre bébé pendant que vous le changez. Installez un mobile aux couleurs vives au-dessus de la table de change. Cela devrait l'empêcher de trop gigoter. Ou bien donnez-lui un livre cartonné ou un petit jouet pour lui occuper les mains et éviter qu'il n'attrape sa couche.

Colorez l'univers de votre bébé avec des peintures, pigments ou lasures naturels. Presque 10 % des polluants atmosphériques présents dans les maisons proviennent des composés organiques volatils (COV) contenus dans les peintures. La plupart des grands fabricants proposent aujourd'hui des peintures à faible teneur en COV. Il existe aussi des peintures naturelles dans toutes sortes de couleurs riches : à la caséine (un dérivé du lait), par exemple.

Non seulement la peinture à la caséine ne contient pas de COV, mais c'est aussi le type de peinture le plus ancien et le plus résistant dans le temps. On a, en effet, retrouvé des éléments décoratifs peints de cette façon dans le tombeau de Toutankhamon !

FABRIQUEZ VOUS-MÊME VOTRE PEINTURE NON TOXIQUE

Cette peinture s'étale facilement et donne une coloration soutenue au bois tout en le laissant respirer. Elle peut s'utiliser sur les meubles, les portes, les moulures et les tours de fenêtres. Vous pouvez aussi l'appliquer sur un mur sec ou sur tout autre support absorbant.

700 ml d'essence de térébenthine (non toxique, elle est produite à partir de la résine du pin)

250 ml d'huile lin

70-80 ml de pigments naturels

30 g d'agent de séchage

Mélangez tous les ingrédients et brassez-les bien. Prenez un chiffon doux ou un pinceau en soie naturelle. Appliquez la peinture sur le mur ou la surface en bois préalablement préparés et laissez-la pénétrer 30 minutes. Essuyez l'excédent.

Si vous voulez obtenir une couleur plus soutenue, répétez l'opération autant de fois que vous le souhaitez. Quand la peinture est complètement sèche, passez éventuellement un vernis de finition non toxique.

Nettoyage : versez un peu d'essence de térébenthine dans un bocal et ajoutez-y quelques gouttes de produit vaisselle bio ou de savon de Marseille liquide. Laissez le pinceau tremper 20 minutes, puis rincez-le à l'eau tiède.

Conservation : garder la peinture que vous n'avez pas utilisée dans un bocal en verre fermé par un couvercle étanche. Tant que l'air ne pénètre pas dans le bocal, votre mélange peut se conserver jusqu'à 6 mois. N'oubliez pas de mettre une étiquette sur le bocal et remuez bien le mélange avant de l'utiliser.

Pour réduire la toxicité de l'air dans votre maison, optez pour des produits et des accessoires écologiques : revêtement de sol en matériau naturel ou moquette fabriquée à partir de bouteilles en plastique recyclées, par exemple. Consultez la rubrique « Ressources » pour trouver des idées et des adresses.

DANS LA BOUCHE DE BÉBÉ

Des études récentes mettent en garde contre certains matériaux utilisés dans la fabrication des biberons, des anneaux de dentition et des jouets en plastique souple, surtout ceux conçus pour être portés à la bouche, pouvant présenter des risques pour les enfants. Premiers mis en cause : le PVC (chlorure de polyvinyle) et le DINP (un phtalate). Ces produits chimiques peuvent être directement absorbés (anneaux de dentition ou jouets) ou passer dans le lait infantile (biberons en plastique). Ces agents provoqueraient des lésions et des cancers du foie. Si vous ne voulez prendre aucun risque, évitez-les complètement.

Remplacez les biberons en plastique transparent (leur emballage ne spécifie pas toujours de quel plastique il s'agit) par des biberons en verre ou en plastique opaque. La plupart du temps, ces derniers sont colorés et contiennent du polyéthylène ; ils ne contiennent pas de bisphénol A (BPA), autre composant suspect capable de se diffuser.

LA PRUDENCE S'IMPOSE

Les fabricants ne sont pas tenus d'informer de la présence de phtalates dans leurs produits. Néanmoins, les produits contenant des parfums artificiels et des produits chimiques synthétiques ont de grandes chances d'en contenir. Aussi, lisez attentivement les étiquettes. Par ailleurs, évitez les biberons et les jouets portant les codes de recyclage 3 (PVC) et 7 (polycarbonate), plus susceptibles de contenir des phtalates, du chlore et autres produits toxiques.

Optez pour des jouets en bois ou en tissu plutôt qu'en plastique. Internet est un moyen formidable pour trouver des artisans qui fabriquent et vendent des jouets à l'ancienne. Vous y découvrirez aussi des adresses de fabricants proposant des articles pour bébé en matériaux naturels sans colorant et autres produits irritants, notamment des jouets et des peluches.

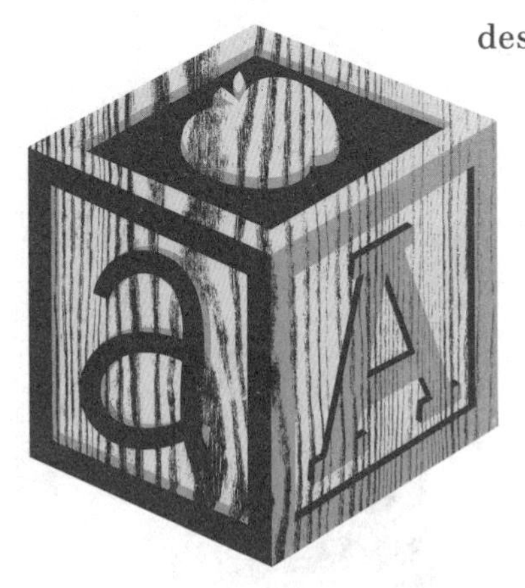

JOUETS MAISON

Il vous suffit de faire le tour de la maison pour rassembler plusieurs jouets créatifs sans danger pour votre bébé. Prenez des objets de cuisine ordinaires. Avec un saladier en plastique et des cuillères en bois, il pourra, par exemple, jouer de la batterie. Les plus grands peuvent aussi s'amuser à empiler des saladiers et des bols de différentes tailles. Voici quelques trésors à dénicher dans vos placards :

- Verres mesureurs (en plastique)
- Moule à gâteaux et autres petits objets à trier
- Spatules en caoutchouc
- Serviettes de table (idéales pour jouer à cache-cache et faire disparaître des objets)
- Boîtes en plastique munies d'un couvercle, qui s'empilent les unes sur les autres

Les gobelets, les bouteilles ou les bols en plastique sans PVC sont des jouets amusants pour le bain. Votre enfant adorera les remplir avec de l'eau, pour ensuite les vider et les remplir indéfiniment. Ce jeu sera encore plus attrayant si vous percez quelques trous dans le fond de certains d'entre eux.

Utilisez des éponges pour créer des jouets drôles pour le bain. Découpez-les simplement avec un couteau ou des ciseaux bien aiguisés pour leur donner une forme rigolote et faites-les flotter dans le bain de votre enfant. Montrez-lui comment s'amuser en les empilant ou en les serrant dans ses mains pour en faire sortir l'eau. Il ne mettra pas longtemps à découvrir tout seul que s'il plonge un morceau d'éponge au fond de la baignoire et qu'il le lâche ensuite, celui-ci jaillit d'un seul coup hors de l'eau.

Les enfants sont sans passé,
et c'est tout le mystère de l'innocence
magique de leur sourire.

Milan Kundera

UNE MAISON PROPRE ET ÉCOLOGIQUE

Allez faire un tour dans le supermarché bio le plus proche de chez vous pour y découvrir tous les produits biologiques et non toxiques destinés au jardin, aux animaux domestiques et à la lessive. Les lessives industrielles classiques contiennent des ingrédients toxiques pouvant laisser des résidus sur les tissus. Quand aux pesticides pour le jardin et la maison, ils augmentent le risque de tumeurs cérébrales et de leucémies chez les enfants. Le produit d'entretien le plus ordinaire peut présenter un danger s'il n'est pas manipulé correctement ou s'il est accidentellement ingurgité.

Stockez toujours vos produits ménagers naturels et les ingrédients que vous utilisez pour les fabriquer hors de portée des enfants et des animaux domestiques. Le fait qu'ils soient biologiques et non toxiques ne signifie pas qu'ils ne provoquent pas de maladies, d'irritation de la peau ou de réaction allergique en cas de manipulation ou d'ingestion.

Pour obtenir un spray désinfectant naturel, versez 240 ml de vinaigre, 240 ml d'eau et de l'huile essentielle de thym, de romarin et de théier (15 gouttes de chacune) dans un vaporisateur d'un demi litre. Placez un spray dans votre salle de bains et un près de votre table à langer. Gardez-en un plus petit dans votre sac à langer et/ou dans votre boîte à gants pour les petits nettoyages rapides.

La meilleure odeur est celle du pain,
le meilleur goût, celui du sel,
le meilleur amour, celui des enfants.

Graham Greene

CHAPITRE 2
BÉBÉ
ARRIVE À LA
MAISON

CHAPITRE 2

Certes, vous avez déjà relevé des défis sur le plan professionnel avant d'endosser le rôle de parent. Pourtant, sachez que ce nouveau métier à temps plein est tout aussi prenant. Toutes les mères travaillent, même celles qui ont décidé de ne pas reprendre leur ancienne activité professionnelle et de « rester au foyer ». Quelques notions de *management* ne seront pas inutiles pour prendre les bonnes décisions, à commencer par l'allaitement et le choix des couches.

Naître, c'est recevoir tout un univers en cadeau.

Jostein Gaarder

L'ALLAITEMENT EST AUSSI BÉNÉFIQUE POUR VOTRE BÉBÉ QUE POUR VOUS

Cela ne fait aucun doute : le lait maternel est ce qu'il y a de mieux pour votre bébé. L'allaitement favorise la création d'un lien étroit entre la mère et son enfant. Il limite également le risque de le voir souffrir d'allergie ou d'asthme et de bien d'autres maladies. Il apporte aussi des bienfaits supplémentaires à la maman. Il lui permet de brûler des calories et aide l'utérus à retrouver sa taille normale après l'accouchement.

Plus vous démarrez tôt, mieux c'est. Idéalement, mettez votre bébé au sein dans l'heure qui suit l'accouchement, lorsque le réflexe de succion est assez fort. À ce stade, les seins de la maman ne produisent pas de lait, mais un liquide appelé « colostrum », contenant des anticorps qui protègeront l'organisme du bébé.

CONSEILS POUR L'ALLAITEMENT

Choisissez un endroit calme. Plus vous vous sentirez détendue pour donner le sein, plus ce moment sera agréable pour vous et votre bébé.

Allaitez à la demande. Un nouveau-né réclame souvent à manger – toutes les deux heures environ. Ne vous inquiétez pas, vous aurez toujours assez de lait ! En effet, plus vous allaiterez, plus vous produirez de lait.

Trouvez la bonne position. Adopter une position correcte permet à la maman de moins souffrir et au bébé de téter plus facilement. Vérifiez que votre téton est bien enfoncé dans la bouche de votre bébé.

Essayez d'éviter les compléments entre deux tétées. En donnant un biberon de complément à votre bébé, vous risquez de diminuer son appétit pour le lait maternel. S'il a l'air d'avoir faim et que vous êtes trop fatiguée pour lui redonner le sein, demandez à quelqu'un de lui donner un biberon de votre lait (que vous aurez tiré en prévision de ces moments-là).

Incroyable mais vrai : les mâchoires d'un bébé sont trois fois plus puissantes que celles d'un adulte !

AÏE ! VOUS AVEZ LES SEINS GONFLÉS !

L'engorgement des seins est fréquent dans les jours qui suivent l'accouchement. Pour vous soulager, donnez le sein à votre bébé (vous vous en seriez doutée !). Autre solution : prenez des bains chauds ou appliquez des compresses tièdes.

L'allaitement a beau être naturel, les choses ne se déroulent pas toujours parfaitement. Vous et votre bébé faites une découverte ; si vous avez l'impression de ne pas être en phase tous les deux, demandez à une sage-femme ou à un médecin de vous aider.

LE RÉFLEXE D'ÉJECTION

Quand vous commencerez à donner le sein à votre bébé, vous vous apercevrez rapidement que l'écoulement du lait semble se déclencher comme par magie quand votre bébé pleure de faim. Ce phénomène, appelé « réflexe d'éjection », est une réaction parfaitement normale et souhaitable. Il se produit le plus souvent uniquement en réponse aux pleurs de votre enfant.

Ce mécanisme automatique permet de couvrir ses besoins, mais il peut parfois être gênant. Prévoyez un stock de vieux vêtements jusqu'à ce que vous et lui soyez mieux synchronisés et que les tétées deviennent plus régulières. Il existe des coussinets spéciaux à glisser dans le soutien-gorge d'allaitement pour absorber les fuites ; vous pouvez aussi y glisser un simple mouchoir en coton.

LE BIBERON SANS CULPABILITÉ

Les raisons pour lesquelles une maman choisit de nourrir son bébé au biberon plutôt qu'au sein sont nombreuses, et toutes sont recevables. Ironie du sort : l'allaitement (surtout en public) était autrefois considéré comme un signe de « radicalisme ». Aujourd'hui, les rôles se sont inversés, et une maman peut parfois se sentir coupable, ou pas à la hauteur, si elle n'allaite pas son bébé. Or la plupart des médecins s'accordent à dire que le biberon est un substitut parfait à l'allaitement. Si vous devez donner le biberon parce que vous reprenez le travail, vous pouvez tirer votre lait avec un tire-lait et le stocker au réfrigérateur ou au congélateur. Cette solution permet au papa ou à la personne qui s'occupe du bébé de le nourrir aussi bien que vous.

Il est essentiel que la maman comprenne que la décision de nourrir son bébé d'une façon ou d'une autre lui appartient entièrement. Choisissez la solution qui est la plus confortable pour vous et qui correspond à votre mode de vie.

Ne faites pas attention aux critiques. Gardez la foi dans le vieil adage qui dit qu'une maman sait toujours mieux que les autres.

Dites-vous bien qu'un bébé élevé au lait infantile s'épanouit aussi bien qu'un bébé nourri au sein. Finalement, vous avez peut-être été vous-même élevée au biberon, et vous ne vous en sortez pas si mal !

LA RECETTE DU SUCCÈS

Vous préférez choisir un mélange de ces deux formules ? Beaucoup de mamans commencent par donner le sein et passent au lait infantile peu de temps après la naissance. L'avantage, c'est que vous donnez à votre bébé les anticorps dont il a besoin au tout début, avant de commencer à l'habituer au biberon. Le moment venu, la plupart des nourrissons acceptent la tétine aussi bien que le téton de leur maman.

Certaines mamans arrivent aussi à donner le sein deux ou trois fois par jour et font donner le biberon par quelqu'un d'autre (le papa ou la personne qui s'occupe de l'enfant) le reste du temps. Si vous rencontrez des difficultés pour passer au biberon, parlez-en à votre pédiatre.

Élever un bébé, ce n'est pas seulement lui donner le sein. Si c'était le cas, les papas seraient exclus du jeu. Il y a des tas d'autres façons de prendre soin de lui. L'allaitement est un moyen naturel de créer un lien et d'être proche de son enfant, mais donner le biberon aussi – tout comme le bain, les jeux et les câlins.

Ne donnez jamais à votre bébé un biberon qui sort tout juste du réfrigérateur. Le lait maternel étant toujours servi à la bonne température, le lait infantile doit l'être aussi. Les liquides froids peuvent provoquer des troubles gastro-intestinaux chez le nourrisson.

Par conséquent, laissez le biberon se réchauffer à température ambiante ou chauffez-le un peu au four à micro-ondes (retirez la bague et la tétine avant !) pendant 20 à 30 secondes. Dans ce cas, secouez le biberon et testez la chaleur du lait sur l'intérieur de votre poignet pour ne pas risquer de brûler votre bébé. Il doit être juste à température ambiante.

Attention : vérifiez que le biberon employé supporte le micro-onde.

LES PRINCIPALES RAISONS QUI POUSSENT LES MAMANS À DONNER LE BIBERON

Les raisons qui poussent une maman à préférer donner le biberon plutôt que d'allaiter sont nombreuses. Voici les principales :

- Reprise du travail
- Maladie ou prise de médicaments
- Difficultés à démarrer l'allaitement
- Complications liées à l'allaitement
- Maladie du sein
- Périodes de séparation
- Sensibilité du bébé au régime alimentaire de la maman
- Adoption

PRENEZ SOIN DE VOUS

Il est important que vous preniez soin de vous et que vous récupériez tout en vous adaptant à votre nouveau rythme. N'oubliez pas que le bouleversement hormonal que votre corps subit va durer encore plusieurs semaines, voire plusieurs mois après la naissance de votre bébé. Pensez à vous reposer suffisamment, à bien manger et à garder tous les jours quelques moments pour vous poser et vous recentrer en faisant une petite marche, en écoutant de la musique douce, en lisant ou en faisant une activité rien que pour vous.

LAISSEZ LES AUTRES PRENDRE SOIN DE VOUS

Votre famille et vos amis vont vous offrir leur aide : laissez-les faire. Acceptez quand on vous propose de préparer un repas ou de faire les courses à votre place. Laissez quelqu'un d'autre tondre la pelouse, sortir le chien ou faire les lessives, voire emmener votre voiture chez le garagiste. Demandez aux grands-parents ou à une amie proche de s'occuper un peu plus des frères et des sœurs.

RENVERSANT !

Ce qui entre dans un bébé en sort aussi, et plusieurs fois par jour. Question : où vont toutes ces couches sales ? Réponse : à la décharge. Sachez qu'un enfant génère à lui seul plus de 1 tonne de déchets de couches de la naissance jusqu'à la propreté. Pour fabriquer ces couches, 250 000 arbres sont abattus. Pour les mettre en décharge ou les incinérer, la collectivité dépense environ 100 € (HT) pour chaque tonne. Pire encore, ces déchets mettent environ 500 ans à se dégrader (oui, vous avez bien lu !).

Simplifiez-vous le change en ayant tout à portée de la main – mais la vôtre, pas celle de votre bébé. Gardez toujours une main sur lui quand vous changez sa couche, car votre gymnaste en herbe pourrait vous échapper à force de se tortiller et de donner des coups de pieds.

LE GRAND DÉBAT SUR LES COUCHES

Il y a quelques années encore, la question des couches (en tissu ou jetables) se résumait à choisir entre supporter un seau plein de couches malodorantes ou produire toujours plus de déchets. Aujourd'hui, des alternatives permettent de rendre ces deux options plus supportables.

Des couches jetables sans chlore sont sur le marché. L'absence de chlore limite la quantité de dioxine, réputée cancérigène, émise dans l'environnement sous la forme d'un sous-produit de la dégradation du chlore. Le matériau servant à la fabrication de la couche elle-même est constitué de pulpe de bois (« rembourrage ») ainsi que d'un tissu et d'un film en polyoléfine et non de dérivés du pétrole. Néanmoins, même s'il s'agit d'une bonne alternative aux couches classiques, le problème du plastique qu'elles contiennent et qui finit à la décharge n'est pas résolu. Elles ne sont pas rapidement et directement biodégradables, sauf si les fibres de polyoléfine ont été traitées avec un accélérateur favorisant la dégradation du plastique dans l'environnement par des micro-organismes.

Les couches en tissu résolvent le problème des déchets toxiques, sauf lorsqu'elles s'entassent pendant au moins une semaine dans un seau à couches sales avant de pouvoir être lavées. L'odeur peut prendre à la gorge... Bien sûr, des progrès ont aussi été faits dans ce domaine et il existe désormais des seaux à couches hermétiques permettant de contrôler les odeurs.

Mais avec les couches en tissu, le risque de voir apparaître un érythème fessier n'est pas à négliger, dans la mesure où le tissu ne protège pas la peau du bébé de l'humidité comme peuvent le faire les couches jetables grâce au gel qu'elles contiennent. N'oublions pas non plus le problème du surplus de consommation énergétique que leur lavage implique. Le côté pratique, c'est que les vieilles couches font les meilleurs chiffons à poussière qui soient !

Des couches révolutionnaires. Il existe désormais des couches jetables d'un nouveau genre, les gDiapers® (disponibles en Amérique du Nord uniquement). Elles sont également sans chlore et fabriquées à partir de fibres naturelles de pulpe de bois, mais elles sont biodégradables à 100 %. Elles sont, en effet, conçues pour être jetées dans les toilettes.

Selon le fabricant, vous pouvez même composter ces couches (elles doivent être humides), qui sont biodégradables en 50 à 150 jours. Le site web de la marque présente une vidéo où l'on voit un gDiaper® se dégrader totalement en 60 jours, alors que sa cousine classique est restée intacte pendant tout ce temps.

Rien n'est plus lent que la véritable naissance d'un homme.

Marguerite Yourcenar, *Mémoires d'Hadrien*

POURQUOI NE VOUS PASSERIEZ-VOUS PAS COMPLÈTEMENT DES COUCHES ?

Un nouveau mouvement vient d'émerger : il vise à renoncer aux couches en débutant l'apprentissage de la propreté dès la naissance. Dans les pays occidentaux, cette vieille méthode de l'apprentissage de la propreté a été reprise sous diverses appellations : élimination-communication, hygiène naturelle infantile, communication des besoins. Quel que soit le nom qu'on lui donne, elle est en train de se populariser.

La méthode s'appuie sur l'observation et la communication : apprendre à reconnaître le signal émis par le bébé lorsqu'il a envie de faire ses besoins, proposer des vocalises spéciales reproduisant l'acte, et offrir au bébé des lieux perçus de façon positive où il puisse se soulager. Dans la pratique, la maman guette ce qui dans le langage corporel de son bébé signifie qu'il va faire ses besoins ; cela peut être un poing fermé ou une manière particulière de gigoter. Elle l'emmène alors aux toilettes et le maintient en place en émettant un « sifflement ». Avec un peu de chance, l'acte est accompli et tout part dans les canalisations (on peut néanmoins se demander quel genre de son il faut émettre pour imiter les mouvements de l'intestin...).

Cette méthode naturelle a des avantages... et des inconvénients non négligeables. Premièrement, ne pas acheter de couches est un acte écologique, sans parler de l'économie que cela représente dans le budget familial. Cela évite aussi de transporter de gros sacs de couches partout, et le risque d'érythème fessier est écarté.

Par ailleurs, elle ne manque pas de susciter l'étonnement dans les toilettes publiques, sans parler de la réaction de la grand-mère. Combien d'accidents se produisent avant de parvenir au but ? Et où trouver des culottes adaptés aux petites fesses d'un nourrisson ? De toute évidence, cette approche anticonformiste ne s'adresse qu'aux parents très motivés. Néanmoins, si le sujet vous intéresse, vous trouverez une bibliographie intéressante sur le sujet sur le site : *bebenaturel.info*

LES PETITS POTS
ET LES SURGELÉS

Le petit pot est un aliment de conserve destiné aux bébés et aux jeunes enfants, aliment qui a fait l'objet de soins minutieux et de contrôles sévères de la part du fabricant. La législation en vigueur (la réglementation des « aliments diététiques diversifiés de l'enfant » est précisée dans l'arrêté du 1er juillet 1976) garantit le respect de normes précises concernant les matières premières, la composition et l'étiquetage de ces produits.

Le principal atout d'une préparation « spécial bébé » est le gain de temps pour les parents qui travaillent et qui préfèrent profiter de bébé plutôt que rester devant les fourneaux. Autre avantage, les petits pots dépannent lorsque bébé voyage loin de la maison. Leur qualité bactériologique est aussi très sécurisante.

Dans un petit pot, tout est pesé au gramme près, vous êtes sûr de donner à bébé la bonne quantité de légumes et de viande, et les vitamines et minéraux dont il a besoin. Enfin, de la purée de légumes au plat mouliné et aux petits morceaux, leur consistance (avec ou sans morceaux, selon l'âge) s'adapte aux capacités de mastication du bébé.

Néanmoins, les saveurs des petits pots sont souvent faussées par l'adjonction de vitamines et par des textures quasi identiques, ce qui ne favorise guère l'apprentissage du goût. Un autre point faible est l'ajout industriel de sucre ou de fécule de céréales qui permet de rendre la préparation plus épaisse.

Dernier inconvénient à évoquer, la transition aux menus « comme les grands », vers deux ans risque d'être plus difficile pour l'enfant habitué uniquement aux conserves.

Quant aux surgelés, très pratiques, vous trouverez dans le commerce un choix important de légumes et de fruits, ce qui vous permet de disposer en toute saison de produits « frais » pour votre bébé.

LA REPRISE DU TRAVAIL

La plupart des parents ont du mal à concilier maison, enfants et vie professionnelle. Même si vous travaillez chez vous ou que l'éducation de votre enfant devient votre activité principale, vous devrez tôt ou tard le confier à une autre personne. En effet, 70 % des parents de jeunes enfants ont recours à un système de garde quelconque. Avant de vous lancer dans vos recherches, réfléchissez bien et respectez quelques règles de bon sens afin de trouver la personne qui convient et qui s'occupera correctement de votre enfant.

Que votre enfant soit gardé chez vous ou à l'extérieur, exercez votre droit de regard en effectuant de temps en temps une visite surprise pour vous rendre compte de ce qui se passe en votre absence.

RECHERCHE NOURRICE

Si vous reprenez le travail peu de temps après la naissance de votre bébé, vous préférerez peut-être prendre une garde à votre domicile. La meilleure solution, c'est certainement un parent, mais une amie ou une voisine en qui vous avez confiance peuvent aussi rentrer dans le cercle élargi de la famille de votre bébé. Interrogez votre voisinage : il saura peut-être vous conseiller une bonne nounou.

Si vous embauchez une jeune fille au pair, passez par une agence sérieuse, qui prendra tous les renseignements nécessaires, y compris sur les antécédents judiciaires de la personne.

Faites passer au moins deux entretiens approfondis à vos candidat(e)s. Soulevez notamment les questions suivantes :

- Pourquoi la personne a-t-elle envie de s'occuper de jeunes enfants ?
- Partage-t-elle les mêmes idées que vous en matière d'éducation ?
- Pourquoi a-t-elle quitté son dernier emploi ?
- Comment réagirait-elle dans un certain nombre de situations concrètes ?

Et n'oubliez pas de bien vérifier ses références.

Si vous optez pour une crèche (et trouvez une place !), discutez-en avec des parents d'enfants la fréquentant actuellement ou l'ayant fréquentée récemment. Renseignez-vous sur le ratio nombre d'enfants/membres du personnel, et sur la façon dont le centre gère les différentes tranches d'âge. Préoccupez-vous aussi de la politique de l'établissement en matière de maladies, de fermetures d'urgence et autres problèmes importants de manière à ne pas être prise au dépourvu. Effectuez plusieurs visites avant de vous décider.

La garde au domicile d'une assistante maternelle est une autre solution. Discutez avec la personne et passez un peu de temps avec elle. Est-elle agréée et régulièrement inspectée ? Combien d'enfants a-t-elle en charge chaque jour ? Votre enfant bénéficiera-t-il de toute l'attention requise par son âge ?

Chaque fois qu'il est question de votre enfant, faites confiance à votre instinct. Si vous avez une mauvaise intuition ou si votre enfant commence à réagir de façon négative face à une personne, reconsidérez la situation et faites les choix qui s'imposent.

AYEZ CONFIANCE EN VOUS

Avoir confiance en soi est un gage de réussite – les parents et le bébé ne peuvent que s'en porter mieux. Mais on est parfois découragé, surtout quand, devenant parent pour la première fois, on réalise qu'on est entièrement responsable d'un être aussi fragile. Si vous commencez à vous poser des questions du genre « Est-ce que je vais vraiment y arriver ? », fermez les yeux et répétez-vous l'une des phrases proposées ci-contre… ou bien criez-la très fort pour que le monde entier vous entende !

En peu de temps, vos pensées négatives se transformeront en pensées positives et vous découvrirez que votre voix intérieure parle davantage en votre faveur.

AFFIRMATIONS POSITIVES DESTINÉES AUX PARENTS

- Je suis capable de m'occuper de mon enfant et de l'aimer. Mes pensées, mes paroles et mes actes en témoignent tous les jours.
- Je peux faire confiance à mon instinct.
- Je suis là pour apprendre des choses à mon enfant. Mais l'essentiel de ce que je dois savoir, c'est lui qui me l'apprend.
- J'ai le choix de suivre ou de ne pas suivre les conseils qu'on me donne.
- Je ne suis pas parfait(e) à chaque instant, mais je risque de rater les moments qui comptent si je ressasse sans arrêt ce que j'aurais dû faire.
- De nombreuses difficultés m'attendent, mais je suis prêt(e) à y faire face avec confiance, grâce à mon intelligence et mon humour.

LA DISCIPLINE COMMENCE DÈS LE PREMIER-ÂGE

Si l'idée de discipliner un petit être encore enveloppé dans ses langes vous semble inconcevable, réfléchissez au sens que vous donnez au mot « discipliner ». Le principal objectif des parents est de donner des habitudes structurées à leur nourrisson tout en satisfaisant ses besoins.

Pensez un instant au mot « disciple », qui signifie « élève » et qui est la racine du mot « discipline ». Il serait donc plus juste de donner à « discipliner » le sens d'enseigner et de guider, sans punir.

Les mères ont toujours instinctivement discipliné leur enfant dès le premier instant. Elles empêchent le jeune bébé de porter quelque chose de dangereux à la bouche. Elles apprennent aux plus âgés quels sont les comportements acceptables en leur montrant l'exemple. Pour des parents, élever un enfant consiste à imposer des frontières de manière à ce qu'il puisse se contrôler et se conduire correctement quand ils ne sont pas près de lui.

LA COMMUNICATION EST ESSENTIELLE

Un jour – vous n'y échapperez pas – votre bébé sera l'un de ces « grands incompris » que l'on appelle adolescents. Cette période exigera une bonne dose de résistance, mais vous vous en sortirez beaucoup mieux si vous établissez une communication saine et franche dès le départ.

Réagir aux pleurs d'un bébé, par exemple, ne signifie pas qu'on va le rendre capricieux ; en agissant ainsi, on favorise la communication. Votre enfant va apprendre à se sentir en sécurité parce que votre disponibilité crée un lien de confiance très fort entre vous.

Avant même de souffler sa première bougie, votre enfant aura maîtrisé le mot « non ». Non seulement il aura compris sa signification, mais il saura aussi s'en servir pour vous faire réagir. Autrement dit, il va tester vos limites. Ne lui en veuillez pas. C'est simplement une façon de montrer qu'il veut être indépendant. C'est aussi le signe qu'il se sent suffisamment en sécurité pour prendre le risque de vous mécontenter.

*Les grandes personnes
ne comprennent jamais rien
toutes seules, et c'est fatigant,
pour les enfants, de toujours
leur donner des explications.*

Antoine de Saint-Exupéry

CHAPITRE 3
TISSER
DES
LIENS

CHAPITRE 3

Le sentiment de sécurité et la certitude d'être aimé sans réserves sont deux des plus beaux cadeaux que vous puissiez faire à votre enfant. Le lien avec lui commence à se tisser dès la naissance et continue à se renforcer au fil des années. La manière dont vous l'établissez et le moment où vous commencez à le créer auront une incidence sur son bien-être pendant toute sa vie.

Malheureusement, le bébé ne vient pas au monde avec une notice ou un manuel d'utilisation. En revanche, et c'est extraordinaire, il arrive déjà doté d'un mode de communication lui permettant de vous faire savoir si quelque chose ne va pas ou s'il est pleinement satisfait de sa vie. Il s'agit de signaux faciles à identifier, comme les pleurs ou les gazouillis.

Rien n'influence plus
un individu que son environnement
psychologique et particulièrement,
dans le cas des enfants,
la vie que leurs parents
auraient souhaitée avoir.

Carl Gustav Jung

« JE CROIS EN MOI »

Vous avez peut-être l'impression que les autres savent mieux que vous ce qui convient à votre bébé. Les gens adorent donner des conseils, dans une bonne intention évidemment. Mais l'excès d'informations peut vous donner le sentiment d'être une incapable, de tout faire de travers. Comment garder les idées claires ? En ayant confiance en vous.

Quand vous donnez le biberon, changez votre bébé de bras au milieu de son repas, comme le fait une maman quand elle donne d'abord un sein, puis l'autre. Si vous avez des tensions au niveau du cou et des épaules, cela vous soulagera. Cela donnera aussi l'occasion à votre bébé de voir son environnement sous un autre angle.

LE LIEN NATUREL PAR EXCELLENCE

Restez en contact. Tant que la délivrance n'a pas eu lieu, demandez au gynécologue ou à la sage-femme de couper le cordon ombilical le plus tard possible (le délai est en général de 15 min). Il y a plusieurs raisons à cela. Des chercheurs de l'université de Californie ont, par exemple, découvert qu'en retardant le moment où l'on coupe (ou pince) le cordon ombilical, on augmentait les réserves de fer du bébé pour plusieurs mois. Chez les bébés prématurés, ce délai diminue le risque d'hémorragie cérébrale et le besoin de transfusion.

DES MOMENTS PRÉCIEUX

Les journées et les mois qui suivent la naissance d'un bébé sont évidemment précieux. Après l'accouchement, à la maternité, gardez le plus possible votre bébé dans votre chambre plutôt que de le confier aux puéricultrices. Vous avez beaucoup à apprendre l'un de l'autre.

Des grimaces pour renforcer les liens. Pendant le premier mois de sa vie, l'objectif principal du nourrisson est de se mettre en harmonie avec son environnement. Puis, entre deux et six mois, son rythme se cale petit à petit sur celui de ses parents. Ses regards, ses sourires, ses gazouillis et sa manière d'examiner attentivement les expressions de votre visage sont autant de signes d'un attachement positif. Faites des grimaces à votre bébé. À deux mois, un bébé est capable de faire la différence entre un visage (dessiné) dont les éléments sont dans le désordre et un visage où les yeux, le nez et la bouche sont au bon endroit. S'il peut le faire, c'est parce qu'il est en permanence en train d'étudier le vôtre. Les bébés aiment bien observer les changements de mimiques, alors ne vous privez pas et il vous imitera. Encore un mois et ce sera lui qui commencera et vous qui imiterez ses grimaces.

LE CHOIX DU PRÉNOM

En matière de prénoms, vos préférences et les traditions familiales pèsent beaucoup, mais vous pouvez aussi vous aider des nombreux livres qui existent sur le sujet pour trouver un joli prénom à votre bébé. Ne choisissez pas à la légère – il le gardera toute sa vie.

Prenez le temps d'admirer le sourire de votre enfant. C'est excitant – au sens littéral du terme. Des recherches ont démontré que les mamans ressentaient une légère excitation à la vue du sourire de leur bébé. Cette réaction a été mise en évidence par des images du cerveau montrant que certaines zones étaient stimulées, à savoir celles qui sont associées à d'autres plaisirs intenses provoquant une augmentation de la production de dopamine, comme faire l'amour ou déguster un morceau de chocolat.

Ne freinez pas vos élans. Faire des câlins à son bébé lui apporte beaucoup à la fois sur le plan affectif et sur le plan physique. N'écoutez pas les gens qui essaient de vous convaincre que vous allez rendre votre enfant capricieux si vous le prenez trop souvent dans vos bras.

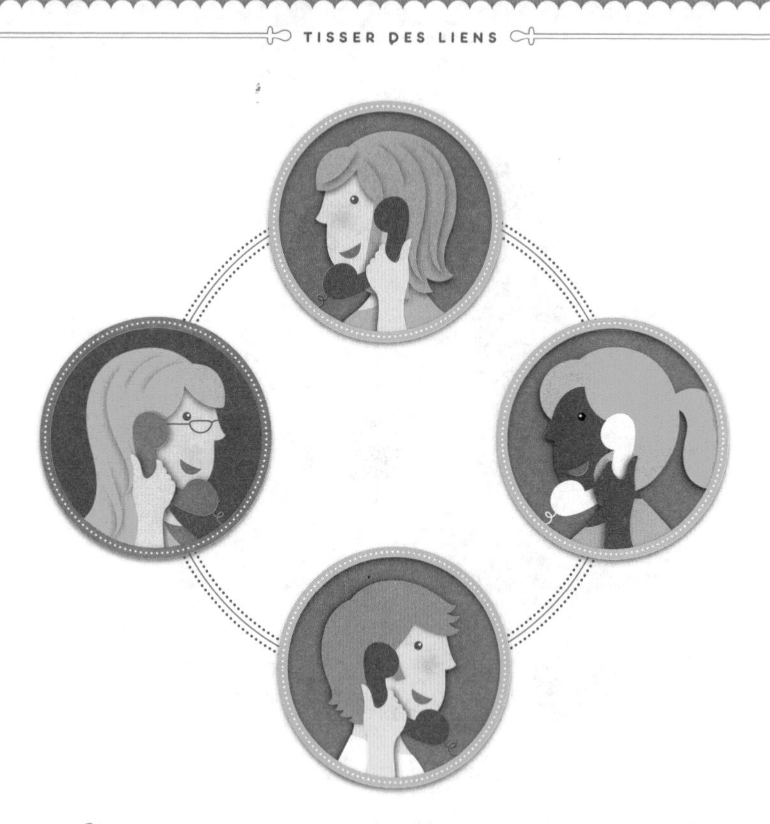

Constituez un réseau avec des couples qui viennent, eux aussi, d'avoir un bébé. Les gens que vous avez rencontrés aux séances de préparation à la naissance ont les mêmes préoccupations que vous ; le simple fait de partager vos joies et vos soucis quotidiens peut vous aider à résoudre certaines difficultés.

NE RUMINEZ PAS VOS MALADRESSES

Acceptez l'idée de faire des erreurs au début. Si vous avez l'impression de ne pas savoir parfaitement changer une couche ou faire faire son rot à votre bébé, dites-vous bien que vous allez forcément vous améliorer. Après tout, c'est en forgeant qu'on devient forgeron.

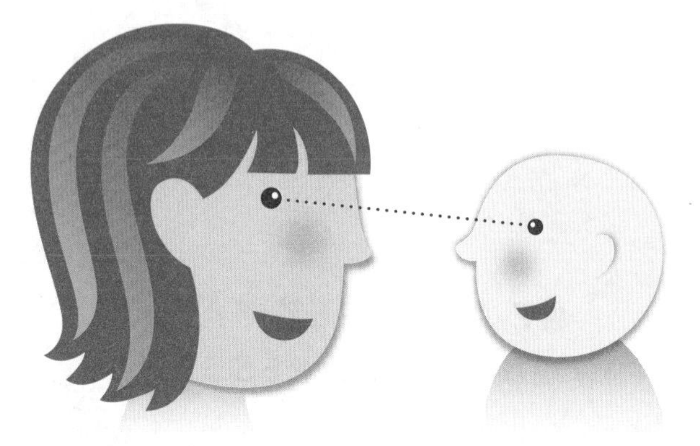

Le contact visuel est encore impossible. Les premiers jours, le bébé est incapable de fixer son regard et ses yeux sont presque toujours fermés. Mais en lui exprimant votre amour par la voix et le toucher, vous l'apaisez et le réconfortez.

Le contact visuel est possible. Dès qu'il arrive à mieux fixer son regard sur votre visage, encouragez-le à vous regarder souvent dans les yeux. Ces moments vous aideront à établir un lien reposant sur l'amour et la confiance. Quand vous regardez votre bébé dans les yeux, touchez-le en même temps (caressez-lui la tête, le visage ou les mains).

C'est peut-être l'enfance
qui approche le plus
de la « vraie vie ».

André Breton

Vous n'arriverez pas à tout faire ! Pendant les premières semaines, le bébé a sa propre idée des moments où il doit dormir et manger – et si vous essayez de faire en sorte que votre bébé s'adapte à votre planning, vous risquez de tout compliquer.

Quand votre bébé se repose, reposez-vous vous aussi. Croyez-moi, le sol de la cuisine peut bien rester sale un petit moment encore (et ne vous laissez pas influencer par les critiques des autres sur la façon dont vous tenez votre maison !).

PORTEZ VOTRE BÉBÉ EN BANDOULIÈRE

Les écharpes de portage, dont l'origine est très ancienne, jouent un rôle important dans le « maternage proximal » – une philosophie qui prône le maintien d'une proximité physique, ainsi que la réactivité et la sensibilité aux besoins du bébé. Des études prouvent que le fait de porter régulièrement son bébé réduit la durée quotidienne des pleurs à 43 %, et celle des pleurs nocturnes de 51 %. Qui plus est, les bébés que l'on porte souvent en écharpe passent plus de temps dans un « état de veille calme », qui favorise l'apprentissage, le développement de la faculté d'adaptation et le renforcement du lien avec les parents. Choisissez une écharpe de bonne qualité en coton ou en chanvre biologiques.

Rien ne vaut la sensation de ce petit corps chaud contre le vôtre. Pelotonnez-vous contre lui le plus souvent possible – quand il dort ou qu'il tète, ou quand vous avez simplement envie de savourer quelques instants rien que tous les deux.

Le nouveau-né n'a pas encore acquis toutes ses défenses immunitaires. Un ami ou un parent bien intentionné peut donc facilement lui transmettre un rhume. Essayez de limiter les visites des premières semaines à la famille proche. Vous aurez tout le temps de présenter votre bébé au reste du monde plus tard.

LA MUSIQUE ADOUCIT LES MŒURS

Faites découvrir la musique à votre bébé. Les bébés n'ont pas de préférence particulière pour un style de musique. Par conséquent, si vous trouvez que le jazz ou le rock sont plus apaisants que la musique classique, allez-y !

Chantez des chansons à votre bébé en marchant dans la rue, en vous déplaçant dans la maison ou même quand vous êtes tranquillement assise dans un fauteuil. J'ai chanté la même chanson tous les jours pendant ma grossesse et pendant des années après la naissance de mon bébé. C'était ma berceuse.

Assistez avec lui à un évènement musical. Si vous aimez les concerts et les récitals, faites-le découvrir dès maintenant à votre bébé ! Cela sera à la fois stimulant et apaisant pour vous deux. Assurez-vous simplement qu'un bébé y a bien sa place, et asseyez-vous près d'une sortie au cas où votre bébé serait un peu trop stimulé.

Créez des liens grâce au rire. Un mois environ après l'apparition du premier sourire, votre bébé va peut-être brusquement émettre un gloussement face à un objet ou une situation. Mais cela ne veut pas forcément dire qu'il rit parce que quelque chose l'amuse. En fait, les bébés commencent parfois par rire lorsqu'ils sont effrayés ou perturbés par une situation ou un objet, puis ils se mettent à pleurer.

Vous pouvez l'aider à se sentir plus à l'aise dans son environnement en l'incitant à rire davantage. En faisant de ses orteils des marionnettes ou en faisant des grimaces au bon moment, vous pouvez transformer une expérience potentiellement perturbante en occasion de renforcer votre lien et votre confiance mutuelle. Il apprendra en même temps que certains de ses gestes peuvent avoir un effet positif sur vous.

Lisez vos histoires ou vos poèmes préférés à voix haute. Si vous avez d'autres enfants, invitez-les à lire avec vous ou demandez-leur de faire la lecture au bébé.

Baignez-vous ensemble. Les nouveaux-nés sont naturellement à l'aise dans l'eau. Après tout, ils viennent de passer neuf mois immergés dans un milieu liquide ! Que ce soit dans la piscine de votre jardin ou à la piscine municipale, votre bébé appréciera de flotter dans l'eau et en sera apaisé.

Ne lui mettez pas de brassards. Ils pourraient glisser de ses petits bras. Optez plutôt pour le gilet de natation, qui permet à un bébé, même très petit, de flotter en toute sécurité sur le dos. Vous pouvez aussi l'utiliser à la maison dans la baignoire ! Ne laissez jamais un petit enfant sans surveillance dans l'eau.

LE BAIN, C'EST BIEN !

Le bain doit être un moment amusant pour tout le monde, parents et bébé ! La pièce doit être assez chaude. Évitez les courants d'air et rassemblez tout ce dont vous aurez besoin avant de commencer. Voici quelques conseils pour passer un bon moment à barboter :

– *Remplacez le gant de toilette* par une grande éponge en cellulose. Ces éponges sont douces et se compriment facilement (ce qui est bien plus drôle). Elles durent longtemps.

– *La sortie de bain douillette* avec capuche (100 % coton) est très pratique pour envelopper le bébé quand il a fini de barboter. Blotti contre vous, il restera bien au chaud le temps d'une histoire ou d'une tétée, ou même d'une petite sieste à deux.

– *Parlez, chantez ou récitez des poèmes* à votre bébé pendant que vous lui donnez son bain. Même si personne n'apprécie vos talents oratoires, lui sera captivé par le rythme de votre voix, surtout qu'il sent votre main douce sur lui.

Après trois mois, rien ne vous empêche de prendre un bain avec votre bébé. Vérifiez bien la température de l'eau : elle doit être adaptée à la peau tendre de votre bébé, pas à la vôtre. Et maintenez-lui bien la tête hors de l'eau.

DES CARESSES PLEINES DE TENDRESSE

Le massage est à la fois relaxant et apaisant pour le parent qui masse et pour le bébé. Il a de nombreux avantages sur le plan de la santé : meilleure circulation, digestion plus facile, sentiment de bien-être... Et toucher son bébé est un excellent moyen de créer un lien.

Si votre bébé s'agite au cours d'un massage, c'est pour vous faire comprendre qu'il en a assez. Il a peut-être froid ou faim, ou il n'a tout simplement plus envie.

LES PRINCIPES DE BASE DU MASSAGE POUR BÉBÉ

La plupart des bébés adorent qu'on leur frotte la poitrine et le dos.

- Mais évitez de le faire quand le vôtre a le ventre plein ou qu'il a faim.
- Le massage est un geste très apaisant, surtout si vous l'associez à une histoire ou à une chanson. Il n'a pas besoin d'être compliqué – un mouvement circulaire sur le dos ou le ventre suffisent. Vous pouvez aussi caresser doucement le visage de votre bébé ou lui masser les mains. Assurez-vous qu'il fait assez chaud dans la pièce et qu'il n'y a pas de courants d'air.
- Commencez toujours par verser l'huile de massage sur vos mains et par les frotter plusieurs fois l'une contre l'autre pour chauffer l'huile. La plus adaptée est l'huile d'amande douce.

- Déshabillez votre bébé, mais laissez-lui sa couche, surtout si c'est un garçon ; cela vous évitera une surprise désagréable. Pensez aussi à retirer vos bijoux pour éviter tout risque de blessure ou d'irritation.
- Avant de commencer, demandez toujours la permission à votre bébé de le masser, même s'il est trop petit pour comprendre ce que vous dites et qu'il ne peut pas vous répondre. C'est une manière de lui apprendre petit à petit, pour plus tard, que son corps lui appartient et que ce genre de caresse n'a rien de malsain.
- Pour masser la tête et le visage, faites des petits mouvements circulaires avec le bout de vos doigts autour du front, le long des sourcils, des tempes et de la mâchoire. Essayez de toujours garder le contact avec l'une ou l'autre main. Ne massez pas votre bébé près des yeux ou de la fontanelle (endroit mou sur le crâne).
- Quand vous massez les bras et les jambes, faites simplement des mouvements vers le bas. Et n'oubliez pas ses pieds et ses minuscules doigts.

VOTRE BÉBÉ, LES AÎNÉS ET LES ANIMAUX DE LA MAISON

Imaginez ce que vous ressentiriez si votre mari rentrait un jour avec une autre compagne et qu'il l'installait chez vous sans même vous avoir demandé votre avis. Sans doute la même impression que celle que ressent un jeune enfant ou un animal choyé quand on leur amène un nouveau bébé à la maison. Il est important de tenir compte de ce qu'ils éprouvent de manière à créer une relation harmonieuse et saine entre le bébé et les autres membres de la famille.

UN MOMENT POUR CHACUN

Votre bébé exige beaucoup de vous. Que demande-t-il le plus ? Du temps. Et c'est aussi du temps que vos autres enfants et vos animaux vous réclament. Trouvez un moment pour jouer avec chacun d'entre eux afin de leur montrer qu'ils sont uniques et qu'ils comptent pour vous. Faites participer les aînés : demandez-leur de vous aider à vous occuper du bébé et de jouer avec lui. Le grand frère ou la grande sœur peuvent être une aide précieuse pour divertir votre bébé quand vous le changez ou pour vous assister quand vous êtes en train de donner le sein ou que vous avez les mains occupées. Mais soyez vigilant : un enfant ne se rend pas compte qu'il a beaucoup plus de force qu'un bébé ; il se laisse emporter par son élan et peut lui faire du mal si vous ne le surveillez pas.

PRÉSENTATIONS

Normalement, quand le chat ou le chien de la maison fait connaissance avec le bébé qui arrive, il a déjà l'expérience de nombreuses autres rencontres. Le meilleur moyen de faire les présentations, c'est de commencer avant la naissance du bébé. Laissez votre animal inspecter sa chambre. Plus vous essayerez de le lui interdire, plus il aura envie de voir à quoi votre bébé ressemble une fois qu'il sera là. Il risque même de percevoir le fait d'en être chassé comme le signe que le bébé représente une menace.

Montrez à votre tout-petit comment toucher son compagnon de jeu. Aucun animal n'aime se faire tirer les oreilles ou la queue !

Surveillez-les toujours quand ils sont ensemble, mais laissez-les se découvrir. Ils deviendront les meilleurs amis du monde.

Pour que votre enfant soit heureux, laissez-le être « malheureux » de temps en temps. Pendant les six premiers mois de sa vie, il est important que vous répondiez à ses besoins immédiats. Mais quand il commence à se tenir assis, à ramper et à saisir des objets, il faut qu'il apprenne à gérer un certain niveau d'insatisfaction pour avoir ensuite un sentiment de réussite. Par conséquent, n'ayez pas peur de le laisser s'énerver ou réfrénez votre envie de vous précipiter vers lui quand il fait tomber son jouet. Laissez-le chercher une solution tout seul pendant quelques instants.

Faites en sorte qu'il reste satisfait de son sort quand vous êtes prise par des tâches indispensables. Faire des courses ou du ménage tout en s'occupant d'un bébé devient vite agaçant. Être attaché dans un siège-auto ou un chariot de supermarché, c'est une occasion de changer de cadre pour certains bébés ; d'autres, en revanche, n'aiment pas que leurs petites habitudes soient perturbées.

À la maison, profitez de la sieste de bébé pour faire la vaisselle ou passer l'aspirateur. Installez-le à côté de vous pour qu'il joue tout seul pendant que vous pliez votre linge. Si vous voyez qu'il commence à s'agiter quand vous faites la queue au supermarché, inventez une chanson ou une comptine sur les choses que vous avez dans votre chariot pour l'occuper. À défaut de le distraire, vous amuserez vos voisins de caisse.

BONNE NUIT !

Mettez en place un rituel au moment du coucher. Toute la famille en tirera profit. Commencez par un bain aromatique, éventuellement suivi d'une tétée ou d'un moment dans vos bras. Vous pouvez aussi bercer votre bébé pour l'apaiser. Pour la dernière étape du rituel (histoire, poème ou berceuse), il doit toujours être dans son berceau ou dans son lit.

Achetez des CD de berceuses et mettez-les en fond sonore pour l'aider à glisser tout seul dans le sommeil. Choisissez des mélodies instrumentales, une voix qui berce, ou même des rythmes reproduisant des battements de cœur.

Doucement, doucement
Doucement s'en va le jour.
Doucement, doucement
À pas de velours.

La rainette dit
Sa chanson de pluie
Et le lièvre fuit
Sans un bruit.

Doucement, doucement
Doucement s'en va le jour.
Doucement, doucement
À pas de velours.

Les oiseaux blottis
Dans le creux des nids
Se sont endormis
Bonne nuit.

Apprenez à votre bébé à faire la différence entre le jour et la nuit. La maison doit être un endroit stimulant pour votre bébé pendant la journée, mais elle doit être calme et paisible la nuit.

Limitez les visites et mettez les activités bruyantes en veilleuse le soir. Vous aiderez ainsi votre bébé à adopter un rythme circadien correspondant à celui de toute la maison.

TISANE POUR LES MAMANS QUI ALLAITENT

Difficile de calmer et de nourrir un bébé agité quand on est fatiguée et stressée. Voici une recette qui vous apaisera avant de vous asseoir pour bercer un bébé de mauvaise humeur. Elle présente l'avantage de favoriser l'écoulement de votre lait.

30 g de fleurs de camomille séchées

30 g de menthe séchée

2 cuillères à soupe de graines de fenouil pilées

1 cuillère à soupe de fleurs de lavande séchées

240 ml d'eau bouillante

Mettez toutes les plantes dans un bocal stérile fermé par un couvercle. Pour faire votre tisane, ajoutez une cuillère à soupe de ce mélange dans une grande tasse (vous pouvez aussi utiliser une boule à thé). Versez l'eau bouillante par-dessus. Laissez infuser 10 minutes, puis filtrez (ou sortez la boule à thé). Sucrez si vous le souhaitez. Buvez-en 2 à 3 tasses par jour.

L'enfance a des manières de voir,
de penser, de sentir qui lui sont
propres ; rien n'est moins sensé
que d'y vouloir substituer les nôtres.

Jean-Jacques Rousseau

CHAPITRE 4
À
TABLE

CHAPITRE 4

Dès que votre enfant est assez grand pour tenir assis tout seul, installez-le à la table familiale, même s'il ne mange pas encore d'aliments solides. Quand il commencera à s'intéresser à l'apprentissage des bonnes manières, il vous faudra faire preuve de patience, l'encourager et prévoir de nombreux vêtements de rechange. Voici comment faire passer en douceur cette transition vers une alimentation solide.

Mieux vaut transmettre un art
à son fils que de lui léguer
mille pièces d'or.

(Proverbe chinois)

LA SÉCURITÉ AVANT TOUT

- Choisissez une chaise haute conforme aux normes en vigueur (label NF, CEN, ISO…). Vous trouverez cette mention sur l'emballage ou sur la chaise elle-même. En cas de doute, contactez l'AFNOR ou connectez-vous au site : afnor.org

- Attachez toujours votre enfant avec les sangles dont la chaise est équipée. Les chaises avec plateau amovible sont plus faciles à nettoyer. Quand l'enfant grandit, il suffit de retirer le plateau pour approcher la chaise de la table.

- Ne laissez jamais votre enfant sans surveillance dans sa chaise haute.

- N'utilisez pas de bavoirs qui s'attachent autour du cou, car votre bébé risque de s'étrangler. Optez pour des bavoirs munis de boutons pressions ou de Velcro ; ils s'enlèvent plus facilement.

Si votre bébé se salit beaucoup en mangeant, écartez-lui les mains et roulez délicatement le bavoir avant de le lui retirer. Vous éviterez ainsi de lui coller de la nourriture sur le visage et les cheveux.

Les aînés adorent faire manger leur petit frère ou petite sœur à la cuillère. Mais ce n'est pas parce que vous avez les mains libres pendant quelques instants que vous pouvez vaquer à vos occupations dans une autre pièce. Surveillez impérativement les opérations pour vérifier que votre ainé n'enfourne pas trop de nourriture à la fois dans la bouche du bébé.

SOYEZ PATIENTE ... ET IGNOREZ CE QUI VOUS AGACE !

Ce qui entre dans la bouche d'un bébé peut parfois en ressortir. Les bébés ne mangent pas proprement, mais ils ne le font pas exprès. Ils sont habitués à manger liquide et, au début, ils n'ont pas la coordination nécessaire pour mâcher et avaler des aliments solides. Ne vous énervez pas quand il recrache de la nourriture, même si presque tout son repas finit sur la table ou par terre. Évitez cependant de lui montrer que cela vous amuse de voir couler de la purée de petits pois sur son menton, sinon il en fera un jeu. Contentez-vous de le féliciter quand il mange correctement et ignorez les faux-pas.

LES PREMIERS REPAS

Les premiers aliments solides qu'un bébé mange ne sont pas vraiment solides. Il s'agit plutôt d'une version liquéfiée des aliments que consomment les adultes. Purée ou compotes (pommes de terre, courgettes, carottes, avocats, bananes, pommes) et céréales additionnées d'un liquide font partie de l'alimentation de base des bébés de quatre à six mois. Demandez conseil à votre pédiatre. Il vous dira quels aliments lui conviennent et à quel moment les introduire.

Introduisez un seul nouvel aliment à la fois et guettez tout signe d'allergie, tel qu'une diarrhée, une éruption cutanée ou une gêne respiratoire. La règle veut que l'on laisse s'écouler cinq jours entre deux nouveaux aliments.

Privilégiez autant que possible des fruits et des légumes biologiques, cultivés sans pesticides ou engrais chimiques. Les aliments bio pour bébé sont aujourd'hui vendus dans les boutiques spécialisées comme dans les grandes surfaces. Autre solution si vous favorisez la production de proximité : adhérer à une coopérative ou cultiver vos propres fruits et légumes.

Le lait de vache est assez difficile à digérer. Il est souvent responsable d'allergies, notamment pendant la première année de vie. Si vous cherchez une alternative saine, utilisez du lait de soja ou de riz (ou du lait maternel) pour préparer les céréales ou les purées que vous donnez à votre enfant.

Cuisinez pour plusieurs repas à la fois et mettez le reste dans des bocaux au frais ou dans des barquettes à congélation. Les plats pour bébés faits maison se conservent un ou deux jours au réfrigérateur et deux mois au congélateur. Vous pouvez investir dans un stérilisateur, mais n'importe quel grand faitout peut servir à stériliser des bocaux et leurs couvercles.

ASTUCE

Lorsque vous commencez à faire manger votre bébé à table avec vous, faites-le d'abord téter un peu ou donnez-lui un petit biberon auparavant. En ayant déjà le ventre un peu rempli, il risque moins de s'inquiéter ou de s'énerver. Il est alors plus à même de goûter de nouveaux aliments.

Avant de savoir manger tout seul, votre bébé va passer par plusieurs étapes. Au début, il utilisera le tranchant de la main pour ramener les morceaux vers lui. Vers six mois, il va commencer à les faire glisser sur la paume de sa main avec les doigts, mais sans le pouce. Pour finir, entre six et dix mois, il sera capable d'utiliser la pince que forment le pouce et l'index, ce qui lui permettra de porter les aliments à sa bouche avec plus de précision.

DROITIER OU GAUCHER ?

En règle générale, les nourrissons sont ambidextres, mais on constate que certains ferment plus souvent un poing que l'autre. Cependant, cela ne permet pas vraiment de savoir si l'enfant sera droitier ou gaucher plus tard. En effet, d'après des études, la tête fournirait un indice plus précis, dans la mesure où 70 % des nourrissons tournent plus souvent la tête vers la droite que vers la gauche et deviennent droitiers. Par conséquent, si votre petit amour préfère observer le monde en se tournant vers la gauche, cela signifie peut-être qu'il sera gaucher.

Il n'y a aucune raison de contrarier un gaucher ou de se faire du souci si votre enfant ne manifeste aucune préférence. Il faut attendre l'âge de quatre ans pour enfin savoir quelle main l'enfant utilisera pour tenir son crayon. Il fera peut-être partie des rares personnes qui ont la chance d'être aussi habiles de la main droite que de la main gauche.

Laissez votre bébé tenir sa cuillère. La première cuillère de bébé doit être en plastique sans PVC, le métal pouvant irriter ses gencives et heurter ses petites dents. Un manche incurvé offrira une meilleure prise à ses petites mains et évitera qu'il se la mette dans l'œil ou le nez ou qu'il envoie de la nourriture sur l'aîné assis à côté de lui.

COMME UN GRAND

Le passage aux aliments solides a été une étape importante pour votre bébé. Commencer à manger tout seul, ou presque, en est une autre dans son développement. Il est à un âge où la tentation de mettre tout dans sa bouche est grande : surveillez-le attentivement.

Regardez-le manger. Donnez-lui toujours les aliments coupés en morceaux suffisamment petits pour qu'ils ne risquent pas de rester coincés dans la gorge quand il les avale. Proscrivez les noisettes, raisins secs, fruits séchés, bâtonnets de légumes crus et autres aliments durs avant l'âge de trois ans, à cause du risque d'étouffement.

QUELQUES RECETTES NATURELLES FACILES POUR BÉBÉ

Pourquoi préparer soi-même des plats pour son bébé ? Outre le fait que cela revient moins cher et que ses qualités gustatives et nutritives sont nettement supérieures à celles des plats industriels, la cuisine maison permet d'éviter les arômes, colorants et conservateurs artificiels. D'après des études médicales récentes, un grand nombre d'additifs alimentaires synthétiques peuvent favoriser l'hyperactivité et les difficultés de concentration chez les nourrissons et les enfants, en particulier un additif alimentaire couramment utilisé dans les plats préparés : le benzoate de sodium.

CÉRÉALES DU MATIN

Simple, nourrissant, et tout simplement délicieux !

230 g de flocons d'avoine

120 ml de lait de soja ou de riz (parfumé à la vanille, c'est encore meilleur)

120 ml de jus de pomme pur

½ banane écrasée

1. Mélangez tous les ingrédients dans un bol résistant au four à micro-ondes. Passez-le 2 minutes au four à micro-ondes.

2. Versez les céréales cuites dans un mixeur ou un robot et mixez avec du lait de soja (rajoutez-en si nécessaire) pour obtenir une purée onctueuse.

PORRIDGE AU QUINOA ET À LA PATATE DOUCE

Considéré depuis longtemps comme un aliment excellent et polyvalent, le quinoa est un produit sans gluten, au goût de noisette et à la texture proche de celle du mil. L'ajout de la patate douce donne aux céréales de la couleur et un goût sucré.

475 ml d'eau

230 g de quinoa (rincé)

1 patate douce, épluchée et coupée en cubes

1. Faites bouillir l'eau. Ajoutez le quinoa et la patate douce. Laissez frémir à feu plus doux en remuant de temps en temps, pendant 20 minutes environ, jusqu'à ce que les cubes de patate douce soient tendres.

2. Versez le porridge cuit dans un blender ou un robot et réduisez-le en purée. Ajoutez un peu de lait de soja ou de riz pour le rendre plus onctueux.

SOUFFLÉ ÉPINARDS-FROMAGE

Si votre enfant souffre d'intolérance au lactose, remplacez le fromage par un mélange de 60 g de tofu en rondelles et 60 g de lait de soja ou de riz (le tout mixé) ou par du substitut d'œuf.

450 g d'épinards bio, lavés

1 œuf, légèrement battu

115 g de gruyère râpé

60 g de faisselle

1. Mettez les épinards encore humides dans une poêle anti-adhésive ; faites chauffer à très basse température pendant 1 minute environ ; ils doivent être juste flétris.

2. Versez l'œuf, le gruyère et la faisselle dans un grand saladier ; mélangez bien. Ajoutez les épinards au mélange œuf-fromage ; mélangez à nouveau.

3. Versez le mélange dans un plat allant au four, légèrement beurré, et faites cuire à 180 °C pendant 20 à 30 minutes. Laissez refroidir, puis passez au mixer ou à la moulinette pour bébé pour obtenir une purée de la consistance souhaitée.

GUACAMOLE POUR LES PETITS

L'avocat est un aliment naturel « prêt à l'emploi » parfait pour les tout-petits : il est protégé par sa peau, donc toujours frais, et il ne nécessite aucune cuisson.

1 avocat mûr

1 cuillère à soupe de yaourt au lait entier

Épluchez et écrasez l'avocat à la fourchette dans un bol. Ajoutez le yaourt et mélangez bien.

FLOCONS D'AVOINE ÉPICÉS À LA POMME ET AU POTIRON

Voici un plat qui fleure bon les journées d'automne. Préparez une double ration pour pouvoir le partager avec votre bébé.

230 g de flocons d'avoine cuits

3 cuillères à soupe de compote de pommes

3 cuillères à soupe de purée de potiron

une pointe de cannelle

Mélangez tous les ingrédients et remuez jusqu'à ce que le mélange soit homogène.

Remarque : pour obtenir une texture plus fine, passez le mélange au blender ou au robot pendant quelques secondes.

SUPRÊME D'AUBERGINES

230 g d'aubergine cuite à la vapeur ou à l'eau

½ banane

1 cuillère de yaourt au lait entier ou de lait de soja

Réduisez l'aubergine et la banane en purée dans un blender ou un robot. Vous devez obtenir un mélange lisse. Ajoutez juste ce qu'il faut de yaourt ou de lait de soja pour obtenir la consistance désirée.

CRÈME AUX FRUITS FRAIS

130 g de compote de pommes

240 ml de lait de soja ou de riz

1 banane écrasée

4 œufs battus (ou l'équivalent en substitut d'œuf)

½ cuillère à café d'extrait de vanille

1 cuillère à café de cannelle

1. Versez tous les ingrédients dans un blender ou un robot et mélangez-les bien.

2. Versez le mélange dans des ramequins ou des coupes et saupoudrez de cannelle (facultatif). Mettez les ramequins dans un plat creux et ajoutez de l'eau pour qu'ils soient immergés sur une hauteur de 2,5 cm.

3. Faites cuire à 180 °C pendant 45 à 55 minutes (la cuisson est terminée quand vous plantez un cure-dent au milieu et qu'il ressort propre).

4. Laissez refroidir au moins une heure et servez.

Remarque : cette crème se garde trois jours au réfrigérateur.

GELÉE AUX FRUITS

Cette recette utilise de l'agar-agar, un gélifiant tiré d'une algue, pour faire épaissir et prendre le mélange de fruits. Vous en trouverez sous forme de flocons dans les épiceries bio.

120 ml d'eau froide

1 cuillère à soupe de flocons d'agar-agar

360 ml de jus de fruits

230 g de purée du fruit de votre choix

1. Versez l'eau et les flocons d'agar-agar dans une petite casserole. Mélangez jusqu'à ce que ces derniers soient dissous. Ajoutez le jus de fruits et faites chauffer à feu moyen pendant 1 minute, en remuant constamment.

2. Versez le mélange dans 4 ramequins individuels. Laissez refroidir au réfrigérateur pendant une trentaine de minutes. Sortez-les du réfrigérateur et répartissez la purée de fruit entre les 4 ramequins. Mélangez bien et servez.

MANGER EN S'AMUSANT : C'EST MEILLEUR AVEC LA MAIN !

Qu'est-ce que votre bébé peut manger seul et à quel moment ? Les aliments pour bébé faciles à manger avec les mains peuvent être introduits entre sept et dix mois, dès que le bébé sait saisir les objets entre le pouce et l'index. Voici quelques bonnes idées :

- Petits morceaux de fruits mous (banane, mangue, pêche, pastèque, poire, melon)
- Légumes cuits coupés en cubes (carotte, courgette, patate douce)
- Œufs durs hachés
- Pain complet grillé et coupé en petits morceaux
- Petites pâtes cuites

Ne donnez jamais plus de quelques morceaux à la fois à votre bébé, pour éviter qu'il en mette trop dans sa bouche d'un coup.

BOUCHÉES AUX BROCOLIS ET AU FROMAGE

Toute la famille va adorer ces délicieuses bouchées !

3 œufs (ou l'équivalent en substitut)

460 g de brocolis cuits à la vapeur et hachés

345 g de comté râpé

230 g de pain émietté

1 cuillère à café de muscade

1 cuillère à café d'origan

Versez tous les ingrédients dans un grand saladier. Mélangez-les avec les mains pour obtenir une pâte homogène. Déposez-la par petits tas sur une plaque à pâtisserie légèrement beurrée. Faites cuire à 180 °C pendant 20 à 25 minutes en les retournant à mi-cuisson. Laissez refroidir avant de servir.

Remarque : cette recette utilise des œufs comme liant. Si votre enfant est allergique aux œufs, remplacez-les par de la purée de carottes, en ajoutant un peu d'eau ou de bouillon de légumes si le mélange est trop sec.

BÂTONNETS AU TOFU

Ces petites friandises bourrées de protéines ont un goût salé. Elles ne feront pas long feu !

1 paquet de tofu ferme égoutté

1 cuillère à soupe de tamari

230 g de germe de blé

1 cuillère à soupe de graines de sésame

230 g de pain complet émietté

1. Coupez le tofu en petites bandes ; à l'aide d'un pinceau à pâtisserie, enduisez légèrement les morceaux de tofu de tamari.

2. Mixez le germe de blé et les graines de sésame dans un blender ou un robot pendant 1 minute. Dans une assiette, mélangez la pâte obtenue avec le pain émietté.

3. Roulez les bâtonnets de tofu dans le mélange pain-germe de blé-sésame et déposez-les sur une plaque à pâtisserie légèrement huilée. Faites cuire à 180 °C pendant 15 à 20 minutes, jusqu'à ce qu'ils soient bien dorés.

DE PETITES DENTS TOUTES NEUVES

Certains bébés « sortent » une ou deux dents en même temps sans problème – à la grande surprise des parents, qui découvrent un beau matin qu'elles ont poussé ! D'autres les ont une par une et chaque percée, aussi douloureuse que la précédente, semble durer une éternité. Mais le processus d'apparition des dents est, en général, régulier et se situe entre trois mois et trois ans.

Les poussées dentaires s'accompagnent de différents signes : joues rouges, perte passagère de l'appétit, irritabilité (celui-là, vous ne risquez pas de le rater) et salivation plus importante (même si un bébé de trois mois salive toujours beaucoup). Contrairement à la croyance populaire, la fièvre n'est pas un signe de poussée dentaire. Si votre bébé a de la fièvre, c'est qu'il est malade.

L'HYGIÈNE DENTAIRE COMMENCE TRÈS TÔT

Pour éviter les problèmes dentaires, faites en sorte qu'ils ne puissent pas commencer. Ne laissez jamais votre bébé se coucher avec un biberon, même s'il contient de l'eau. Des bactéries peuvent traîner dans la tétine. D'autre part, du liquide risque de parvenir jusqu'à l'oreille interne et provoquer une otite.

Veillez à la propreté de ses dents toutes neuves. Tant qu'il n'en a que quelques-unes, utilisez un morceau de compresse enroulé autour de votre doigt pour les nettoyer. Quand il commence à en avoir beaucoup, il est temps de passer à la brosse à dents pour bébé.

N'utilisez pas de dentifrice avant l'âge de deux ans (d'une part à cause du fluor qu'il peut contenir, d'autre part, parce que l'enfant l'avale la plupart du temps). Ensuite, utilisez un dentifrice naturel sans édulcorant et sans fluor. Demandez conseil à votre pédiatre.

On ne peut donner que deux choses à ses enfants : des racines et des ailes.

(proverbe juif)

CHAPITRE 5
UN BÉBÉ
EN
PLEINE FORME

CHAPITRE 5

Les bébés ont des besoins particuliers pour être en bonne santé. La peau et les cheveux fragiles d'un nouveau-né, par exemple, ne doivent pas être en contact avec des produits chimiques. Vous pouvez contribuer au bien être de votre petit en recourant à des remèdes simples et naturels pour les petits maux quotidiens.

Dorlotez votre bébé à la maison ; votre pédiatre s'occupera, pour sa part, d'enregistrer ses progrès en termes de poids et de développement physique. Pendant la première année de sa vie, le bébé apprend à contrôler les mouvements de ses bras et de ses jambes. Au début, ces mouvements semblent se produire de façon complètement aléatoire. En fait, c'est en bougeant que le bébé apprend à synchroniser son cerveau, ses yeux et ses mains. Vous pouvez aider ses petites cellules grises et ses muscles à mieux fonctionner grâce à quelques exercices simples (et amusants !).

Les enfants n'ont ni passé ni avenir
et, ce qui ne nous arrive guère,
ils jouissent du présent.

Jean de La Bruyère

Mettez de temps en temps votre bébé à plat ventre. Il en a besoin pour développer ses muscles et les capacités motrices de la partie supérieure de son corps, en particulier pour coordonner les muscles en lien avec le cou et la tête.

Idéalement, installez-le sur un petit tapis d'éveil en tissu. Outre leur côté pratique, puisqu'ils sont lavables en machine, les tapis d'éveil offrent plusieurs panneaux de couleurs et de textures différentes, ce qui apporte au bébé une stimulation tactile pendant l'exercice.

Essayez la version bébé du medicine-ball. Installez le bébé sur le ventre sur un ballon de plage et faites-le rouler avec précautions d'avant en arrière en le maintenant d'une main. En plus d'être amusant, cet exercice peut l'aider à évacuer un ou deux gaz.

GYMNASTIQUE POUR BÉBÉS

Allongez votre bébé sur le dos et maintenez-lui doucement les bras le long du corps. Soulevez alternativement un bras au-dessus de la tête puis l'autre. Vous pouvez marquer le rythme en chantant « une, deux, une, deux… ».

Incitez votre bébé à attraper. Dès qu'il sait saisir et lâcher les objets, placez un jouet qui lui plaît à portée de sa main. Pour mieux attirer son attention, choisissez quelque chose de très coloré ou qui fait du bruit.

Faites-le pédaler. Attrapez délicatement les pieds de votre bébé et faites faire un mouvement de pédalage à ses jambes. Il ne mettra pas longtemps à le faire tout seul.

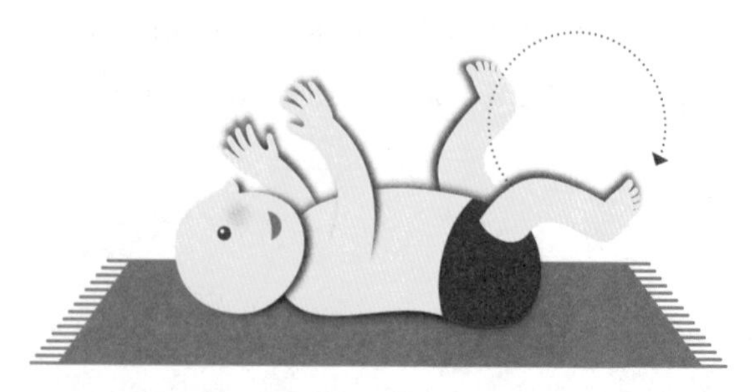

Vers trois mois, le bébé est capable de se redresser sur ses avant-bras et de décoller le torse et la tête du sol. Vous pouvez l'aider à se muscler le haut du buste en l'incitant à faire passer le poids de son corps d'un avant-bras sur l'autre pour essayer d'attraper un objet.

Vers six mois, le bébé commence à être capable de rouler d'un côté sur l'autre quand il est allongé sur le dos. Il essaie aussi d'attraper ses orteils en faisant ce mouvement. Pour qu'il prenne encore plus de plaisir, chatouillez-lui la plante des pieds. Il finira par bien attraper ses pieds tout en roulant et découvrira un jour comment s'asseoir tout seul.

Si votre bébé a plus de trois mois et qu'il tient bien sa tête, vous pouvez jouer à le redresser. Tenez-lui les mains et amenez-le doucement en position assise, puis ramenez-le vers le sol.

Dès neuf-douze mois, laissez-le se familiariser avec les marches : laissez-le grimper l'escalier ou une pile d'oreillers en rampant (en le surveillant de très près).

POURQUOI OPTER POUR LE « 100 % NATUREL » ?

La réponse tient en mot : ***phtalates***. D'après des études récentes, les cosmétiques industriels pour nourrissons contiennent un taux important de phtalates, qui sont des additifs toxiques utilisées dans l'industrie du plastique. Ils sont en particulier employés pour assouplir le plastique dur. Les lotions pour bébés seraient les produits les plus nocifs, puisqu'ils entraînent la plus forte concentration relevée dans les urines des nourrissons. Mais d'autres produits utilisés en application externe, comme le shampooing ou la poudre pour bébé contiennent également une quantité préoccupante de phtalates. Ces additifs provoquent des troubles de la reproduction chez l'être humain.

Les cosmétiques industriels contiennent aussi d'autres ingrédients tels que :

- La lauramide DEA. Utilisée comme agent épaississant, elle provoque des réactions cutanées et des allergies.
- Le sodium laurel sulfate et le sodium laureth sulfate. Ces substances, présentes dans de nombreuses lotions, sont extrêmement irritantes.
- Le propylène glycol. Il provoque souvent des allergies cutanées.
- L'huile de paraffine et les dérivés du pétrole. Ces substances bouchent les pores et privent les cellules d'oxygène.

ENTRETENIR LA PEAU DE BÉBÉ

Les bébés ont la peau douce et qui sent bon. Elle mérite donc qu'on la traite avec tendresse et douceur. Il suffit de quelques ingrédients basiques que vous trouverez dans une herboristerie ou dans une boutique bio pour préparer des cosmétiques entièrement naturels. Vous les appliquerez sur votre bébé après le bain (page 155), pendant le change (page 175) ou même pour le protéger des coups de soleil (page 185). Toute la famille aura envie de les utiliser ! Vous pouvez même les offrir à d'autres bébés et à leurs parents.

Les préparations maison sont très douces, mais il est préférable d'essayer les produits une première fois sur un endroit limité avant de les utiliser sur tout le corps. Appliquez une petite quantité de produit sur l'intérieur du bras de votre bébé, juste au-dessus du pli du coude. Attendez 24 heures ; en cas de démangeaisons, de rougeur ou de toute forme d'irritation, cessez immédiatement d'utiliser la préparation.

BAUME POUR LE CHANGE

Utilisez ce baume quand vous changez la couche de votre bébé pour protéger sa peau.

15 g de beurre de cacao

15 g de cire d'abeille

1 cuillère à soupe d'huile de jojoba

1 cuillère à soupe de glycérine

1 cuillère à soupe d'eau de roses (en pharmacie)

4 gouttes d'huile essentielle de camomille

4 gouttes d'huile essentielle de mandarine

1. Faites fondre au bain-marie, à feu moyen, le beurre de cacao, la cire d'abeille et l'huile de jojoba ; remuez jusqu'à ce que tout soit bien fondu. Ajoutez la glycérine et l'eau de rose ; mélangez.

2. Retirez du feu et ajoutez les huiles essentielles. Versez dans un bocal stérile et étiquetez. Conservez à température ambiante, à l'abri de la chaleur et des courants d'air. Jetez ce que vous n'avez pas utilisé au bout de six semaines.

HUILE NATURELLE POUR BÉBÉ

Cette huile s'applique sur la peau humide du bébé après le bain.

6 gouttes d'huile essentielle de calendula

2 gouttes d'huile essentielle de lavande

2 gouttes d'huile essentielle de rose

1 flacon (120 ml) d'huile d'amande douce

Versez directement les huiles essentielles dans le flacon d'huile d'amande douce. Agitez avant utilisation. Cette préparation conserve son efficacité pendant un an. Normalement, un flacon de cette taille dure environ six mois.

POUR UNE PEAU SOYEUSE

Cette préparation très nourrissante pour la peau peut être utilisée par toute la famille.

240 ml d'huile d'amande douce

15 g de beurre de cacao

2 cuillères à café de lanoline

15 g de cire d'abeille

180 ml d'eau de rose

120 ml de gel d'aloe vera

6 gouttes d'huile essentielle de rose

Contenu de 2 capsules de vitamine E

1. Faites chauffer au bain-marie l'huile d'amande douce, le beurre de cacao, la lanoline et la cire d'abeille, à feu moyen, jusqu'à ce que tout soit fondu. Retirez du feu et ajoutez le reste des ingrédients.

2. Mélangez au batteur électrique jusqu'à ce que la préparation soit lisse et crémeuse. Versez dans un bocal stérile et étiquetez. Conservez-le à l'abri de la chaleur. Jetez ce que vous n'avez pas utilisé au bout de six semaines.

AROMATHÉRAPIE POUR LES BÉBÉS

L'odorat est le seul sens qui soit complètement développé à la naissance. Il n'y a donc rien d'étonnant à ce que les bébés réagissent quasi instantanément à l'aromathérapie. Le diffuseur est un appareil très pratique pour utiliser les huiles essentielles en aromathérapie mais, dans la chambre d'un bébé, il ne doit jamais contenir d'huiles pures. Leur concentration est trop forte pour ses petits poumons. Il est préférable de diluer l'huile essentielle dans une base (huile de jojoba ou d'amande douce, par exemple).

LE POUVOIR DES PARFUMS

Voici la façon la plus simple d'utiliser l'aromathérapie dans une petite chambre d'enfant : mettez les huiles essentielles dans de l'eau que vous verserez dans un pot-pourri, ou bien versez-les dans une petite casserole d'eau chaude (environ 240 ml) ; mettez le récipient dans la chambre de votre bébé, hors de sa portée et de celle des aînés et des animaux de la maison.

Important : si vous utilisez un diffuseur, diluez les huiles essentielles dans deux cuillères à soupe de l'huile de base.

Les associations suivantes sont particulièrement apaisantes :

- *Allaitement :* 1 goutte d'huile essentielle de camomille, d'aneth et d'orange douce.
- *Nez bouché :* 1 goutte d'huile essentielle de citron et 2 gouttes d'huile essentielle d'eucalyptus.
- *Coucher :* 1 goutte d'huile essentielle de camomille et d'aneth

ASTUCE

Utilisez toujours des huiles essentielles de plantes pures plutôt que des huiles au parfum synthétique ; ces dernières contiennent des substances irritantes, notamment des alcools. Évitez les huiles vendues dans du verre ou du plastique transparent, car une huile se dégrade quand elle est exposée à la lumière.

GUIDE D'UTILISATION DES HUILES ESSENTIELLES EN AROMATHÉRAPIE

ÂGE	QUANTITÉ
Moins de 2 mois	De 1 à 3 gouttes diluées
De 2 à 12 mois	De 3 à 5 gouttes diluées
De 1 à 2 ans	De 5 à 10 gouttes diluées

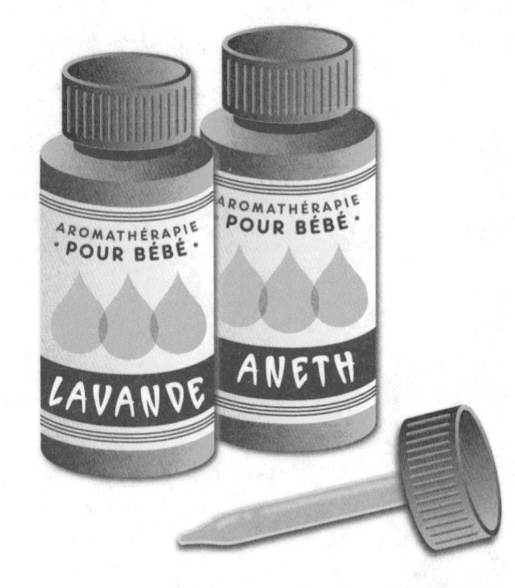

Les huiles essentielles mentionnées ici sont douces et ne présentent aucun risque pour les bébés et les jeunes enfants. Mais n'oubliez jamais qu'il s'agit de produits extrêmement concentrés qui doivent toujours être utilisés dilués, que ce soit dans un diffuseur ou sur la peau. Elles ne sont pas destinées à un usage interne.

- *Calendula* : désodorisant naturel
- *Camomille* : apaisante, elle est indiquée dans de nombreuses affections cutanées
- *Aneth* : elle a un effet calmant ; elle est donc traditionnellement utilisée pour endormir les bébés
- *Lavande* : relaxante, elle a des propriétés antivirales et anti-inflammatoires
- *Mandarine* : stimulante, elle diminue la tension nerveuse
- *Néroli* : améliore l'humeur ; effet légèrement sédatif
- *Rose* : relaxante, améliore l'humeur
- *Orange douce* : antiseptique naturel apaisant
- *Achillée* : propriétés astringentes et anti-inflammatoires

UNE ZONE SENSIBLE

Le cordon ombilical est un lien merveilleux entre le bébé et sa mère. Une fois coupé, il se dessèche petit à petit sur le ventre du bébé avant de tomber pour laisser apparaître le nombril. En principe, la Nature fait bien les choses, et vous n'avez rien à faire pendant au moins 24 heures. Mais dans la mesure où une infection est toujours possible, la zone doit rester propre et sèche jusqu'à ce que le cordon soit complètement desséché et tombe, ce qui se produit en général au bout de 7 à 10 jours.

COMMENT AIDER LE CORDON À BIEN CICATRISER

Fabriquez votre propre poudre antiseptique à base de plantes. Mélangez 230 g d'amidon de maïs (ou de poudre de marante) et 2 cuillères à café de poudre de thym pure. Après le bain, tamponnez la peau autour du cordon avec une boule de coton trempée dans cette poudre.

Important : protégez le visage de votre bébé pour qu'il ne l'inhale pas.

La lavande a des propriétés antibactériennes et accélère la cicatrisation de la peau. Mélangez 1 cuillère à soupe d'eau distillée avec une goutte d'huile essentielle de lavande. Trempez une boule de coton dans le mélange et nettoyez délicatement la zone qui entoure le cordon.

Pour atténuer le dessèchement et la desquamation de la peau autour du cordon, appliquez la préparation suivante : 2 cuillères à soupe d'huile d'amande douce, 3 gouttes d'huile essentielle de camomille et 1 goutte d'huile essentielle de rose. Massez la peau avec 2-3 gouttes de ce mélange deux fois par jour. Vous pouvez, par ailleurs, vous en servir en cas de défauts de pigmentation à d'autres endroits du corps, tout en sachant que les taches de naissance ne disparaissent qu'avec le temps – quand elles disparaissent.

DÉBARRASSEZ-VOUS EN DOUCEUR DES CROÛTES DE LAIT

Les croûtes de lait ne sont pas une maladie, mais plutôt le signe que la peau se renouvelle normalement. Chez les adultes, la formation des nouvelles cellules de la peau et la chute des plus anciennes se font au même rythme. Mais chez le nourrisson, la croissance des nouvelles cellules cutanées se fait plus rapidement, ce qui crée ces fameuses plaques grasses et écailleuses.

Le phénomène est très courant, mais il est particulièrement disgracieux lorsqu'il prend la forme de grandes plaques. Et même si votre bébé ne peut pas exprimer sa gêne avec des mots, vous imaginez bien que cela le démange parfois. Voici comment atténuer de façon simple ces petits maux.

Pour ramollir les croûtes, massez le crâne de votre bébé avant le shampooing avec quelques gouttes du mélange suivant : 2 cuillères à soupe d'huile d'amande douce, 1 goutte d'huile essentielle de calendula et 1 goutte d'huile essentielle de géranium. Pour obtenir de meilleurs résultats, utilisez cette préparation tous les jours jusqu'à ce que les sécrétions aient cessé, en faisant bien attention à la fontanelle (l'endroit mou du crâne).

Vous pouvez aussi préparer un après-shampooing naturel avec une infusion de consoude froide. Faites bouillir 1 litre d'eau et 30 g de racine de consoude séchée et coupée en rondelles. Laissez frémir de 20 à 30 minutes, filtrez et gardez le liquide. Appliquez sur la tête avec un gant de toilette et détachez délicatement les croûtes. Cette infusion se conserve une semaine au réfrigérateur, mais sortez-la quelques heures avant de l'utiliser pour l'appliquer à température ambiante.

IDÉE GÉNIALE

La brosse douce en soie naturelle n'est pas seulement bonne pour les cheveux du bébé (s'il en a !). Elle aide aussi à détacher les croûtes de lait. Pour les décoller plus facilement et les éliminer, vous pouvez aussi appliquer un gant de toilette 100 % coton sur le cuir chevelu de votre bébé pendant le bain.

PRÉPARATION AU BEURRE DE CACAO ET À L'ORME ROUGE

Cette préparation simple se conserve assez longtemps. L'écorce d'orme rouge est riche en mucilage, une substance qui favorise le décollement des croûtes de lait adhérant au cuir chevelu des bébés.

60 ml d'huile d'amande douce

2 cuillères à soupe de poudre d'écorce d'orme rouge

1 cuillère à soupe de beurre de cacao pur

1. Faites chauffer à feu doux l'huile d'amande douce et l'écorce d'orme rouge dans une casserole antiadhésive, pendant 5 à 10 minutes, en mélangeant bien. Ajoutez le beurre de cacao ; faites chauffer encore 5 minutes en remuant constamment.

2. Versez le mélange dans un bocal stérilisé à large ouverture, en filtrant à travers un chinois ; laissez refroidir sans y toucher. Laissez ensuite le bocal au réfrigérateur jusqu'à solidification complète ; conservez-le dans un endroit sec et frais.

3. Appliquez cette pommade du bout des doigts avant le shampooing sur les zones où des croûtes se sont formées. Frottez doucement avec un gant de toilette ou une brosse douce pour les décoller. Jetez ce que vous n'avez pas utilisé au bout de six semaines.

BAIN AUX PLANTES

Un bain aux plantes est à la fois relaxant et thérapeutique. Versez dans la baignoire pleine une goutte (une seule !) de l'une des huiles essentielles suivantes :

- *Camomille*
- *Géranium*
- *Lavande*
- *Achillée*

Brassez bien l'eau avec votre main pour mélanger l'huile avant de mettre votre bébé dans la baignoire.

Vous pouvez aussi mettre l'huile essentielle dans ¼ de litre de lait (excellent pour adoucir la peau) et verser le tout dans l'eau du bain. Ou encore remplacer l'huile essentielle par ¼ de litre de tisane aux herbes refroidie.

Hydratez la peau de votre bébé avec une infusion d'huile aux plantes. Mélangez 1 cuillère à café d'huile d'amande douce ou de noisettes avec une goutte d'huile essentielle de camomille, de lavande ou d'achillée, et versez le tout dans l'eau du bain, en la brassant bien avec les doigts.

LES BIENFAITS DE LA LAVANDE

Le parfum de la lavande fait plus qu'endormir les enfants. Selon une étude, les bébés qui prennent des bains à la lavande dormiraient plus profondément et pleureraient moins. Les mères concernées par cette étude en tireraient, elles aussi, un bénéfice, puisqu'on a constaté chez elles une diminution du taux de cortisol (hormone du stress). Conséquence : elles sont plus détendues et ont plus de contacts physiques avec leur bébé.

SACHET DE PLANTES POUR LE BAIN

Les sachets pour le bain sont faciles à préparer et ne reviennent pas cher du tout. Les bains aux plantes sont tellement apaisants que vous ne résisterez pas à l'envie d'en profiter vous aussi ! (Pour une baignoire de taille normale, faites un sachet plus gros ou utilisez deux des sachets pour bébé préparés suivant la recette ci-dessous.)

1 morceau de coton carré (à peu près de la taille d'un gant de toilette)

2 cuillères à soupe de lavande fraîche ou séchée (peut être remplacée par de la camomille, de la mélisse, du calendula, de l'achillée ou de l'aneth, ou par un mélange de plusieurs de ces plantes)

Un ruban ou un cordon de 15 à 20 cm de long

1. Mettez les plantes au centre du morceau de tissu ; ramenez les coins vers le milieu pour former un sachet. Maintenez celui-ci fermé avec le ruban ou le cordon.

2. Mettez le sachet pour le bain dans la baignoire remplie d'eau chaude. Laissez les plantes infuser au moins 5 minutes. Retirez le sachet avant de mettre votre bébé dans l'eau.

REMÈDES CONTRE L'ÉRYTHÈME FESSIER

Votre bébé a les fesses rouges et abîmées. Pour éviter les érythèmes, la couche de votre bébé doit être changée souvent. Évitez de lui mettre une crème à base d'un dérivé de pétrole ; même si ces crèmes forment une barrière efficace contre l'humidité, elles ne sont pas bonnes pour la peau de votre bébé. Essayez plutôt l'une des méthodes naturelles de prévention et de traitement de l'érythème fessier présentées dans les pages qui suivent.

ASTUCE

Laissez les fesses de votre bébé à l'air aussi souvent que possible, surtout l'été. C'est le meilleur traitement contre l'érythème fessier. En prévention, une hygiène parfaite à chaque change : toilette à l'eau et au savon, rinçage et séchage impeccables.

LINGETTES DOUCES

Voici une alternative aux lingettes que l'on trouve dans le commerce :

1. Remplissez un bocal à conserves stérilisé muni d'une grande ouverture avec le mélange suivant : 240 ml d'eau, 2 gouttes d'huile essentielle de lavande et 1 goutte d'huile essentielle de camomille.

2. Ajoutez-y des carrés de coton pur ou d'éponge de cellulose.

3. Remuez bien et stockez à température ambiante.

4. Utilisation : prenez une « lingette » dans le bocal, essorez-la bien et nettoyez délicatement la peau de votre bébé. Si possible, lavez vos lingettes et réutilisez-les.

CRÈME POUR PRÉVENIR L'ÉRYTHÈME FESSIER

120 ml de gel d'aloe vera pur

120 ml de beurre de cacao

2 cuillères à soupe d'huile de jojoba ou d'huile d'amande douce

Contenu de 3 capsules de vitamine E

6 gouttes d'huile essentielle de calendula

1. Mélangez dans une petite casserole le gel d'aloe vera, le beurre de cacao et l'huile de jojoba ou d'amande douce. Faites chauffer à feu très doux en remuant constamment, jusqu'à ce que le beurre de cacao soit complètement fondu. Incorporez le contenu des capsules de vitamine E et mélangez bien.

2. Retirez du feu et laissez refroidir 5 minutes ; remuez à nouveau. Incorporez l'huile essentielle de calendula.

3. Versez le mélange dans des petits bocaux en verre stérilisés et laissez refroidir complètement avant de mettre les couvercles. Vous n'avez pas besoin de mettre les pots au réfrigérateur. Ils se conservent entre six et huit mois.

LES POUDRES POUR BÉBÉ

Les poudres pour bébé que l'on trouve dans le commerce contiennent des ingrédients chimiques, notamment des parfums synthétiques pouvant provoquer une irritation. Une fois encore, on peut remplacer ces composants par des ingrédients simples et naturels.

Le talc est un minéral couramment incorporé aux poudres, mais il présente des inconvénients. Extrêmement fin, il s'inhale facilement et peut entraîner une pneumonie chimique. Il peut aussi contenir des traces infinitésimales d'arsenic.

Les alternatives au talc ne manquent pas. L'amidon de maïs, la poudre de marante, l'argile, la poudre de riz et la poudre de fleurs (sureau, camomille, lavande ou calendula) permettent d'obtenir des poudres pour bébé saines et absorbantes.

Quand vous poudrez votre bébé, protégez toujours son visage pour éviter les inhalations accidentelles. La meilleure solution consiste à verser la poudre d'abord dans votre main, puis à l'appliquer sur les fesses de votre bébé.

POUDRE APAISANTE POUR BÉBÉ

L'huile essentielle de lavande utilisée dans cette préparation permet de diminuer les rougeurs et l'inflammation provoquées par l'irritation de la peau, et de prévenir l'apparition d'un érythème fessier.

Remarque : cette poudre est également parfaite pour les parents. En cas de forte chaleur, ils peuvent l'appliquer sur des zones sensibles telles que le dessous des bras et les pieds.

460 g d'amidon de maïs

460 g de marante en poudre

3 cuillères à soupe d'argile

115 g de fleurs de calendula en poudre

6 gouttes d'huile essentielle de lavande

Mélangez dans un grand saladier l'amidon de maïs, la poudre de marante, l'argile et les fleurs de calendula. Vaporisez l'huile essentielle sur le mélange et remuez bien. Stockez la poudre obtenue dans des boîtes en fer blanc, des petits bocaux en verre ou des boîtes en plastique avec un couvercle shaker. Vos provisions devraient durer six mois.

PEAU SOYEUSE

Cette préparation protègera la peau de votre bébé de l'humidité et lui donnera un aspect lisse et soyeux. La présence de poudre d'aloe vera (disponible dans les boutiques bio ou sur Internet) accélère la cicatrisation des petites irritations cutanées. Les huiles essentielles de camomille et de lavande se conjuguent pour produire un effet apaisant.

700 g d'amidon de maïs

460 g d'argile

115 g de poudre d'aloe vera

115 g de fleurs de lavande en poudre

4 gouttes d'huile essentielle de camomille

2 gouttes d'huile essentielle de lavande

Mélangez dans un grand saladier l'amidon de maïs, l'argile, la poudre d'aloe vera et les fleurs de lavande. Vaporisez les huiles essentielles sur le mélange et remuez bien. Stockez la poudre obtenue dans des boîtes en fer blanc, des petits bocaux en verre ou des boîtes en plastique avec un couvercle (genre shaker). Vos provisions devraient durer six mois.

REMÈDES CONTRE LES COLIQUES

Quand un bébé n'arrive pas à évacuer un gaz, il a mal. Et vous risquez de rester éveillée une bonne partie de la nuit. Un bébé qui souffre de coliques peut pleurer longtemps. Même s'il arrive à expulser quelques gaz tout seul, vous pouvez l'aider grâce à quelques remèdes simples.

QUEL SOULAGEMENT !

Vous pouvez soulager votre bébé en le mettant sur le ventre et lui frottant le dos par des mouvements circulaires rythmés.

Les mouvements de pédalage sont également très efficaces pour évacuer les gaz. Tenez délicatement votre bébé par les chevilles et faites-le pédaler lentement.

Si vous allaitez, demandez-vous si votre régime alimentaire n'est pas responsable des gaz de votre bébé. Les haricots et certains légumes, comme les brocolis et les asperges, provoquent des flatulences. Si vous donnez le biberon, vérifiez que la tétine est bien placée et que votre bébé est en position légèrement verticale pour l'empêcher d'avaler trop d'air.

Massez votre bébé en reproduisant les effets d'une roue à aubes. Installez-le sur le dos, massez-lui doucement le ventre avec la paume légèrement huilée de vos mains chaudes. Vos mains doivent glisser alternativement l'une sur l'autre.

HUILE DE MASSAGE CONTRE LES COLIQUES

L'aneth est utilisé depuis longtemps pour calmer les coliques et aider les bébés à s'endormir. Le parfum de cette préparation rappelle l'odeur de l'eau de chaux, remède traditionnel donné aux enfants souffrant de coliques.

1 goutte d'huile essentielle d'aneth

1 cuillère à soupe d'huile d'amande douce

Mélangez les huiles dans un petit bol. Étalez l'huile obtenue sur vos mains et frottez-les vigoureusement pour les réchauffer avant de masser votre bébé.

PROTECTION SOLAIRE

Les jeunes enfants ont besoin d'être encore plus protégés des rayons du soleil que les autres. Quand vous mettez votre bébé au soleil, protégez bien sa peau délicate avec une crème solaire. Celle-ci contient des filtres qui peuvent être de deux types : les filtres chimiques qui absorbent la lumière ultraviolette et qui sont nocifs pour l'environnement ; les filtres minéraux reflètent quant à eux la lumière et ne sont pas nocifs pour l'environnement.

Les bébés de moins d'un an prennent facilement des coups de soleil : il est préférable d'éviter d'exposer votre bébé aux rayons du soleil avant douze mois. Et limitez, autant que possible, le temps d'exposition jusqu'à trois ans : les bébés ne peuvent pas échapper au soleil en se déplaçant ni vous faire comprendre qu'ils ont eu leur dose. Pensez à donner des biberons d'eau fréquemment. Il est recommandé de leur proposer de l'eau environ toutes les demi-heures.

Ne laissez jamais un bébé assis sur une couverture ou dans une poussette en plein soleil.

Utilisez des produits naturels, et vérifiez bien leur composition. Les crèmes solaires que l'on trouve dans le commerce contiennent souvent de l'octyl methoxycinnamate (tirée de la cannelle ou du cassia), de l'octyl salicylate (dérivé du bouleau merisier, de la gaulthérie du Canada et du saule) et d'autres végétaux aux propriétés anti-inflammatoires et antioxydantes comme l'aloe vera, le noyer noir, le chardon-Marie, l'extrait de thé vert, la camomille, l'eucalyptus et la menthe.

HUILE SOLAIRE MAISON

L'huile tirée des graines de sésame est un écran solaire naturel qui nourrit également la peau. Toute la famille appréciera cette préparation.

120 ml de beurre de cacao

60 ml de gel d'aloe vera

60 ml d'huile de sésame

60 ml d'huile d'amande douce

Contenu de 5 capsules de vitamine E

10 gouttes d'huile essentielle de lavande

8 gouttes d'huile essentielle de camomille

1. Mélangez le beurre de cacao, le gel d'aloe vera, l'huile de sésame et l'huile d'amande douce dans une casserole sur feu doux ou au bain-marie. Retirez du feu dès que le beurre de cacao est fondu.

2. Ajoutez la vitamine E et les huiles essentielles ; mélangez bien. Laissez refroidir complètement.

3. Versez le mélange refroidi dans deux ou trois petits vaporisateurs en plastique recyclé. Agitez-le produit avant chaque utilisation. Stockez-le au réfrigérateur. Ne le conservez pas plus de quatre mois.

Succombez à la mode. Protégez le crâne et le visage de votre bébé avec une belle casquette à grande visière. Il ne vous reste plus qu'à en acheter une assortie à la sienne !

Si votre bébé se brûle, mélangez 2 cuillères à café d'huile d'amande douce et 1 goutte d'huile essentielle de lavande et étalez délicatement ce mélange sur sa peau. Vous pouvez aussi appliquer sur la brûlure une petite quantité de gel d'aloe vera pur.

UN BÉBÉ PROPRE EST UN BÉBÉ HEUREUX

Rien de plus simple que de fabriquer ces savons entièrement naturels. Pour les faire durer plus longtemps, faites-les sécher complètement entre deux utilisations.

450 grammes de savon de Marseille brut râpé

2 cuillères à soupe d'huile d'amande douce

1 cuillère et demie de lanoline

3 cuillères à soupe d'avoine en poudre

2 cuillères à soupe de lavande séchée et écrasée (feuilles et fleurs)

6 gouttes d'huile essentielle de lavande

1. Faites chauffer dans un récipient au bain-marie, à feu moyen, le savon, l'huile d'amande douce et la lanoline en remuant de temps en temps. Une fois que tout est fondu retirez du feu et incorporez les autres ingrédients.

2. Huilez vos mains et prélevez de petites quantités du mélange pour former des boules de la taille d'un citron. Posez les boules sur du papier sulfurisé et laissez reposer jusqu'à refroidissement et durcissement complets.

SAVON À LA GLYCÉRINE ET AUX PLANTES

Les savonnettes à la glycérine sont très douces et hydratantes. On en trouve dans tous les supermarchés et pharmacies. Comme ces savons fondent très vite quand on les laisse tremper dans le fond d'un porte-savon, laissez-les sécher entre deux utilisations.

3 savonnettes à la glycérine sans parfum

1 cuillère à soupe d'huile d'amande douce

5 gouttes d'huile essentielle de rose

1. Coupez les savonnettes en gros morceaux avec un couteau bien aiguisé et faites-les fondre complètement au bain-marie à feu moyen. Retirez du feu et incorporez les huiles.

2. Versez le mélange dans des moules à savon non graissés (vous en trouverez dans les boutiques de loisirs créatifs). Vous pouvez aussi utiliser de petits récipients en plastique propres ou des couvercles en fer. Pour faire prendre votre savon, placez vos moules 30 à 45 minutes au congélateur. Une fois qu'ils sont complètement froids, démoulez vos savons et enveloppez-les dans du papier absorbant, du papier sulfurisé ou dans un tissu propre. Conservez-les ainsi jusqu'à leur utilisation.

GEL DE LAVAGE POUR LE CORPS ET LES CHEVEUX

Encore une recette très simple. Le savon de Marseille brut est fabriqué avec de l'huile d'olive. Il n'agresse pas la peau.

4 gouttes d'huile essentielle de camomille

2 gouttes d'huile essentielle de lavande

1 bouteille de savon de Marseille brut liquide (500 ml)

1. Versez l'huile essentielle dans la bouteille de savon de Marseille. Rebouchez-la et agitez-la bien.

2. Pour la toilette du corps, versez l'équivalent d'une cuillère à café sur un gant de toilette mouillé. Vous pouvez aussi vous en servir comme shampooing, mais faites attention aux yeux de votre bébé.

Les crèmes et les savons aux plantes sont aussi de jolis cadeaux à faire à vos amis. Prévoyez-en quelques-uns en plus pour eux.

LES PREMIERS SOINS

Consultez toujours votre médecin si votre bébé vous paraît malade. Les systèmes immunitaire, digestif et respiratoire du nourrisson n'étant pas encore complètement formés, vous ne devez pas essayer de soigner vous-même les troubles s'y rapportant. En revanche, il existe quelques remèdes simples et naturels pour favoriser la guérison en cas de bosses, de plaies, de petites coupures ou de petits boutons.

Important : ces traitements doivent être exclusivement réservés aux enfants de plus de trois mois.

REMÈDES MAISON

Piqûres de guêpes : Préparez une compresse froide en trempant un morceau de tissu dans une solution composée de 120 ml d'eau froide, 120 ml de vinaigre de cidre et 2 gouttes d'huile essentielle de camomille. Appliquez la compresse sur la zone de la piqûre pendant quelques minutes. Si votre enfant fait une réaction allergique à la piqûre de guêpe (gonflement des extrémités, par exemple), consultez immédiatement un médecin ou appelez le SAMU (centre 15).

Hématomes : L'arnica (*Arnica montana*), ou tabac des Vosges, appartient à la famille des astéracées. Il atténue la douleur et l'inflammation ; on le trouve sous forme de gel ou de spray. Mais l'arnica est toxique et ne doit pas être appliqué sur une peau abîmée. Conservez-le également à l'abri des enfants et des animaux domestiques.

Brûlures : Pour soigner une petite brûlure, mélangez 1 cuillère à café d'huile d'amande douce et 1 goutte d'huile essentielle de lavande ; appliquez le mélange par massage doux sur la peau. Vous pouvez aussi presser de l'aloe vera pour en extraire un peu de jus, avec lequel vous masserez la brûlure.

Écorchures et coupures : Faites fondre lentement au bain-marie, à feu doux, 2 cuillères à café de cire d'abeille, 1 cuillère à café de beurre de karité et 1 cuillère à café de glycérine (en pharmacie ou dans les boutiques de loisirs créatifs). Retirez du feu et incorporez le contenu de 2 capsules de vitamine E ainsi que de l'huile essentielle de lavande, de camomille et d'achillée (1 goutte de chaque huile). Versez le mélange dans un bocal stérilisé et laissez refroidir complètement avant utilisation. Appliquez sans appuyer sur la zone à soigner.

PRENEZ SOIN DE VOUS

Si vous ne prenez pas soin de vous, vous aurez plus de mal à vous occuper de votre enfant. Tout le monde sait que le corps est tellement sollicité pendant la grossesse et l'accouchement que la maman peut être fatiguée. Pendant cette période, le stress du quotidien peut avoir des répercussions sur la santé et le bien-être de votre bébé, comme de vous-même.

Vous serez certainement étonnée de voir que ce ne sont pas les grands changements qui sont susceptibles de vous épuiser (déménagement ou interruption de votre activité professionnelle), mais l'accumulation de petites choses du quotidien (tâches ménagères, budget à tenir...) et le souci de retrouver un jour votre ligne. Quand la coupe menace de déborder, essayez de déstresser grâce à l'une des méthodes qui suivent.

THÉRAPIE PAR LA RELAXATION

Les promenades quotidiennes ne sont pas seulement un moyen de retrouver un équilibre psychologique, elles vous permettent aussi, à vous et à votre bébé, de profiter des bienfaits de l'exercice physique. Marchez si possible dans la nature (parc ou allée boisée, par exemple).

Libérez-vous l'esprit avec des CD de relaxation ou de musique instrumentale apaisante. Prenez un moment pour méditer et décontracter votre corps. Les yeux fermés, inspirez profondément et longuement par la bouche ; expirez ensuite lentement par le nez. En expirant, concentrez-vous sur une seule idée ou image.

ALLÉGEZ VOS PIEDS

Offrez-vous un bain de pieds aux plantes. Dans une bassine en plastique remplie d'eau chaude, versez 3 à 6 gouttes d'huile essentielle de lavande ou 230 g de fleurs de lavande fraîches. Vous pouvez aussi ajouter plusieurs petits galets ronds dans la bassine et masser la plante de vos pieds dessus pendant qu'ils trempent.

Vous avez besoin de vous remettre en un clin d'œil d'un petit coup de stress ? Versez simplement une goutte d'huile essentielle de lavande ou de rose sur un mouchoir en papier ou en coton et inspirez quand vous en avez besoin. Vous pouvez l'emporter partout avec vous. Pour l'utilisation des huiles essentielles, voir page 161.

Relaxez-vous avec un massage. Mélangez une cuillère à café d'huile d'amande douce ou de jojoba et une goutte d'huile essentielle de camomille ou de lavande. Du bout des doigts, massez-vous les tempes, la mâchoire, les pommettes et les sourcils avec cette préparation.

Important : la plupart des spécialistes conseillent de ne pas utiliser d'huiles essentielles durant les trois premiers mois de la grossesse.

GARDEZ VOTRE ÉQUILIBRE GRÂCE À L'AROMATHÉRAPIE

Ces préparations sont destinées à être inhalées et non appliquées sur la peau.

Stress émotionnel : huile essentielle de bergamote, de santal et de géranium (1 goutte de chacune)

Fatigue : huile essentielle de romarin, de camomille et de lavande (1 goutte de chacune)

Coup de blues : huile essentielle de muscade, de citron et d'encens (1 goutte de chacune)

Douleurs musculaires : huile essentielle de camomille, de géranium et de jasmin (1 goutte de chacune)

Nausées : huile essentielle de fenouil, de coriandre et de cardamome (1 goutte de chacune)

Nervosité : huile essentielle de cèdre, d'orange douce et de camomille (1 goutte de chacune)

Besoin d'un stimulant : huile essentielle d'eucalyptus, de citron et de romarin (1 goutte de chacune)

REMÈDES CONTRE LES PETITS MAUX

La grossesse est un moment merveilleux, mais le corps souffre parfois. Essayez ces remèdes simples contre les petits maux les plus courants.

Vergetures : mélangez 60 g d'huile d'amande douce, 30 g d'huile de germe de blé, 8 gouttes d'huile de bourrache, 6 gouttes d'huile essentielle de carotte et 3 gouttes d'huile essentielle de rose. Massez-vous doucement les seins, les fesses et les cuisses une fois par jour.

Varices : mélangez 30 g de base (huile d'avocat ou d'amande douce, par exemple), 4 gouttes d'huile essentielle de géranium et 2 gouttes d'huile essentielle de cyprès. Massez doucement vos jambes avec ce mélange, de la cheville à la cuisse.

Important : dans certains cas, le massage des varices est contre-indiqué ; parlez-en à votre médecin.

Hémorroïdes : mélangez 4 gouttes de base (huile d'avocat ou d'amande douce, par exemple) avec 1 goutte d'huile essentielle de cyprès et 2 gouttes d'huile essentielle de myrrhe. Appliquez le mélange autour de l'anus pour vous soulager en cas de gêne.

Chaque enfant qu'on enseigne
est un homme qu'on gagne.

Victor Hugo

CHAPITRE 6
VOTRE BÉBÉ
NE DEMANDE
QU'À APPRENDRE

CHAPITRE 6

Les bébés sont de vraies éponges ; ils sont prêts à tout absorber. Le développement du cerveau d'un bébé se fait à 50 % au cours des six premiers mois de sa vie, et est assuré à 85 % au bout de la première année. La première année d'apprentissage a une incidence non seulement sur son développement psychologique, mais aussi sur ses traits de caractère.

Il n'est pas conseillé d'essayer de faire de son bébé un neurochirurgien ou un prix Nobel de physique en le gavant de documentaires, mais on peut améliorer simplement et de façon quotidienne la qualité des stimulations qu'il reçoit. En passant du temps avec votre enfant dans cet esprit, vous favoriserez également la formation, entre vous et lui, d'un lien fort qui durera longtemps après que ses jouets auront été remisés au grenier.

Dans tous les âges l'exemple
a un pouvoir étonnant ;
dans l'enfance, l'exemple peut tout.

Fénelon

ÉTEIGNEZ LA TÉLÉVISION

Dans beaucoup de foyers, le bruit de fond généré par la télévision est une habitude. Or des chercheurs ont récemment démontré un fait que des mamans suspectaient depuis longtemps : la télévision, même si on ne la regarde pas, empêche d'apprendre. Les pédopsychiatres conseillent de ne jamais mettre un enfant de moins de trois ans, et encore moins un nourrisson, devant la télévision.

Pour de nombreux parents, cela semble irréaliste, voire impossible. C'est cependant faire preuve de sagesse que de limiter le temps passé par les tout-petits devant l'écran. Lorsqu'une émission vous semble intéressante pour votre enfant, essayez de la regarder avec lui et parlez de ce que vous êtes en train de regarder. En procédant de cette façon, vous lui permettez d'apprendre intelligemment et vous échangez des idées (même s'il ne sait pas encore parler), tout en passant un moment l'un contre l'autre.

Parlez le langage de votre bébé. Des études ont démontré que les nourrissons étaient plus attentifs quand on leur parlait « bébé » que quand on leur parlait normalement. Les spécialistes du développement de l'enfant appellent cela le « discours adressé à l'enfant », mais dans le langage courant, on dit plutôt « parler bébé ». En imitant les areu-areu de votre enfant, vous lui montrez que vous vous intéressez à lui. Entamer une conversation à double sens en parlant « bébé » est également important pour renforcer le lien affectif qui vous unit et son développement cognitif.

LES MERVEILLES DE LA NATURE

En apprenant à votre enfant à apprécier la nature en toute simplicité, vous favorisez le développement d'un esprit citoyen. Il se peut même que vous découvriez – ou redécouvriez – les merveilles de notre belle planète bleue.

Cédez au romantisme et passez un moment au clair de lune. Quand la nuit est claire, installez-vous dehors pour observer la lune qui brille et les étoiles qui scintillent. Chantez-lui « Au clair de la lune » et n'oubliez pas de faire un vœu ensemble.

Arrêtez-vous pour sentir les roses. Les petits adorent humer les parfums. Faites pousser des fleurs odorantes dans votre jardin et laissez votre enfant en respirer les différentes odeurs. Ou bien allez vous promener dans un parc ou un jardin public qui possèdent de beaux parterres.

À la maison, incitez-le à sentir les différents ingrédients que vous utilisez pour préparer vos repas. Les épices et les herbes aromatiques offrent toutes sortes de parfums – faites juste attention qu'il ne respire pas ce qui est en poudre (notamment le poivre !).

Par un jour de vent, allongez-vous sur le dos sur une couverture et regardez les nuages passer et changer de forme.

*Il y a un passage dans l'enfance
où l'on devrait noter tout ce que
l'on dit, car tout est sage et lumineux.*

Philippe Labro

Des biosystèmes complets vivent juste sous nos pieds. Dans la mesure où les enfants passent une bonne partie de leur temps près du sol, ils ont plein de choses merveilleuses à observer. Montrez-lui une fourmi et expliquez-lui qu'elle peut porter une miette qui fait trois fois sa taille jusqu'à sa maison. Laissez-le caresser la mousse qui grimpe le long d'un tronc. Un jour, il n'aura plus besoin de vous pour découvrir d'autres merveilles de la nature.

Stimulez son cerveau en pleine croissance par le jeu. Choisissez des jouets et des activités qui favorisent l'apprentissage actif, l'exploration, la résolution de problèmes (adaptés à son âge) et développent la confiance en soi. Les livres animés ou les tapis d'éveil divertissent le jeune enfant, mais l'ouvrent aussi au monde. Faites-lui, par exemple, chercher la coccinelle cachée sous un rabat en feutrine en forme de feuille, regarder des images d'animaux sur un fond très contrasté ou sentir différentes textures. Apprenez-lui leur nom ou inventez des histoires à leur sujet.

Prenez votre temps, ne cherchez pas à accélérer l'apprentissage.

LA SIESTE FAVORISE L'APPRENTISSAGE DE L'ABSTRACTION

La petite sieste de l'après-midi est peut-être un plaisir pour vous, mais votre enfant, lui, a réellement besoin de siestes régulières pour commencer à acquérir la notion d'abstraction, c'est-à-dire la capacité à reconnaître les modèles d'images et de sons, indispensable à son développement cognitif. Des chercheurs de l'université de l'Arizona ont testé cette théorie en soumettant des nourrissons à une série de sons censés imiter des phrases prédictives (dont le début laisse présager la suite) utilisées dans le langage.

Ces phrases, en apparence du charabia, étaient constituées de trois éléments, la première et la dernière phrase étant reliées entre elles. Les bébés qui avaient fait la sieste étaient plus attentifs que ceux qui n'en avaient pas fait. En effet, les bébés reposés arrivaient à se souvenir des sons entendus précédemment et à les reconnaître, puis à les relier entre eux de la même façon que dans le modèle, ce qui leur permettait d'identifier les modèles prédictifs dans de nouvelles phrases.

SOYEZ LE PREMIER PROFESSEUR DE VOTRE ENFANT

Au-delà de douze mois, les bébés commencent à appréhender le monde au-delà de leur propre personne. Pour élargir son horizon, proposez à votre enfant des livres, de la musique, des films et des lieux qui tiennent compte de la diversité culturelle du monde dans lequel il vit. Apprenez-lui dès maintenant la tolérance.

Proposez à votre bébé des activités qui impliquent le plus possible tous ses sens.

- Humez les choses.
- Incitez-le à rire et à chanter.
- Comparez les textures des différents objets de la vie quotidienne.
- Laissez-le marcher à quatre pattes ou gambader pieds nus dans l'herbe et le sable.
- Donnez-lui une cuillère et différents objets sur lesquels taper avec celle-ci.

Les bébés de six à douze mois adorent imiter les sons et les expressions du visage. Jouez à imiter le cri des animaux que vous voyez sur des images. Montrez-lui le plus souvent possible votre visage pour qu'il observe vos expressions ; c'est l'une des premières formes de communication qu'il utilisera.

Saisissez les occasions d'apprendre et créez-en.

- Montrez-lui différentes couleurs et formes ou récitez l'alphabet quand vous êtes en voiture ou que vous attendez chez le médecin.
- Parlez des choses que vous voyez quand vous vous promenez dans votre quartier.
- Dites-lui ce que vous êtes en train de faire quand vous préparez les repas ou que vous lui donnez son bain.

LE BÉBÉ ET LES COULEURS

Le bébé distingue-t-il le noir, le blanc ou le rouge ? À la naissance, il voit certes votre visage à environ 15 cm de distance, mais jusqu'à six ou huit semaines, il n'en distingue pas les traits. Et même si le bleu ou le rose pastel séduisent ses parents, lui ne voit vraiment les couleurs qu'à partir de quatre mois.

Par conséquent, pour stimuler un nourrisson, optez pour les images et les objets noirs, blancs et rouges présentés sur un fond très contrastant, que ce soit sur un hochet, un tapis d'éveil, une couverture, un mobile ou un tableau d'activités.

Évitez de stimuler votre bébé de façon excessive. Il vous fera comprendre qu'il en a assez en pleurant ou simplement en détournant son regard de vous. Prenez ces manifestations comme le signe qu'il est temps de passer à autre chose, et qu'il vaudrait mieux, par exemple, lui faire des câlins.

JOUER AVEC SON BÉBÉ

Les moments où votre bébé joue sont aussi des moments d'apprentissage. Et jusqu'à deux ou trois ans, son principal compagnon de jeux – et aussi celui qu'il préfère – c'est vous. Voici quelques jeux rigolos qui vous feront rire tous les deux.

Avant six mois, les bébés adorent jouer « à chat ». Mettez-vous pas trop loin de lui et approchez-vous tout doucement de lui en lui disant « Je vais t'attraper ! ». Au début, il sera peut-être étonné, voire inquiet, mais il comprendra vite ce que vous attendez de lui et se rendra compte qu'il peut vous faire confiance. À la fin du jeu, il trouvera cela encore plus drôle si vous « l'attrapez » en lui faisant un petit bisou dans le cou ou en lui chatouillant le ventre.

Faites le bourdon. Levez la main avec un doigt tendu et redescendez-la tout doucement en spirale vers le ventre de votre bébé en imitant le bruit du bourdon. Une fois que vous avez atteint votre but, faites semblant de le « piquer » en appuyant légèrement sur son ventre avec votre doigt.

La plupart des bébés adorent le traditionnel jeu de « coucou ! ». Une fois que votre bébé a compris qu'il ne disparaît pas réellement, il trouve l'idée que vous ne sachiez pas où il est très drôle. Jetez une couverture fine ou une serviette sur la tête de votre bébé, attendez un peu et dites « Où il est, mon bébé ? » plusieurs fois. Soulevez ensuite un coin du tissu et dites « Ah, il est là ! coucou ! ». Plus tard, il n'y aura plus besoin de lui cacher la tête ; il ira vite se cacher dès que vous direz « Où il est, mon bébé ? ».

Un jeu qui déchire ! Aussi incroyable que cela puisse paraître, les bébés de six à neuf mois adorent regarder leur maman simplement déchirer des bandes de papier, ou même les déchirer eux-mêmes une fois qu'on leur a montré comment faire. Surveillez bien votre bébé pour qu'il ne porte pas le papier à sa bouche. Et n'oubliez pas de recycler le papier une fois le jeu fini !

QUE FAIT MA MAIN ?

Cette comptine qui associe le geste à la parole amusera beaucoup votre bébé.

Que fait ma main ?

Elle caresse : doux, doux, doux	(caressez-lui la main)
Elle pince : ouille, ouille, ouille	(pincez-lui doucement la main)
Elle chatouille : guili, guili, guili	(chatouillez-lui la main)
Elle gratte : gre, gre, gre	(grattez-lui la main)
Elle frappe : pan, pan, pan	(tapotez-lui la main)
Elle danse : hop, hop, hop	(faites tourner votre main en l'air)
Et puis... elle s'en va !	(cachez votre main derrière le dos)

Donnez-lui un problème à résoudre. S'il a entre six et neuf mois, donnez-lui un objet à tenir dans chaque main, puis proposez-lui en un troisième. Au bout d'un moment, votre bébé finira par apprendre à résoudre son dilemme en lâchant l'un des deux premiers objets pour attraper le troisième.

Traduisez les mots par des actes. À partir de huit mois, les bébés adorent les chansons ou les comptines mimées avec les mains et les doigts, comme les grands classiques de votre enfance présentés pages 228-229.

FAITES-LE RIRE !

Dites des bêtises. Un tout-petit est parfaitement capable d'apprécier l'absurdité ! Chantez-lui, par exemple, une chanson absurde de votre composition, avec des mots qui riment et du charabia. Vous ne pourrez pas vous empêcher de rire avec lui, ce qui ajoutera encore à la joie de votre enfant.

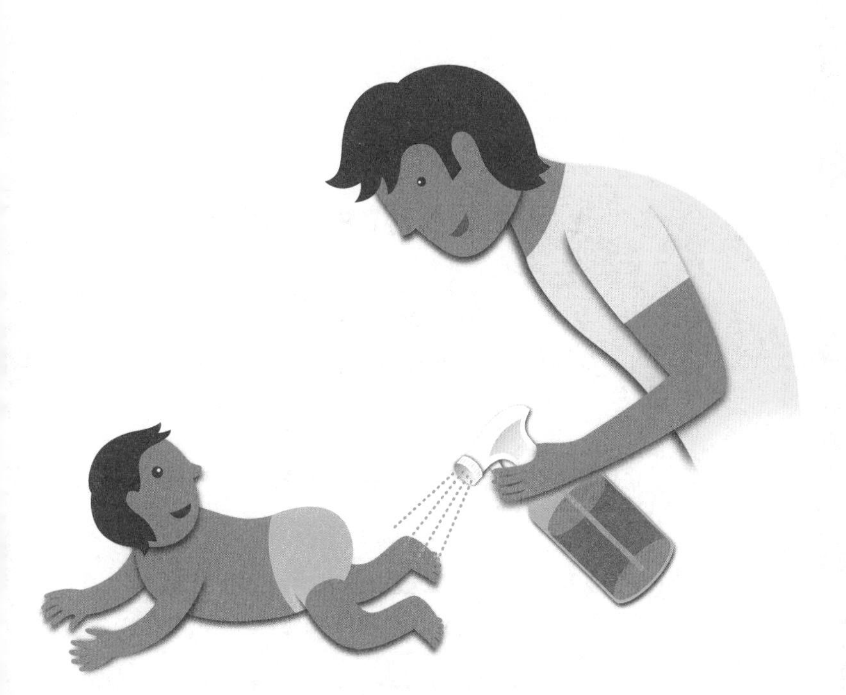

Voici un petit jeu qui ne cessera jamais d'amuser votre enfant, même s'il est vite fatiguant pour son papa ou sa maman. Remplissez un petit vaporisateur propre d'eau froide et vaporisez-en sur ses pieds nus quand il ne s'y attend pas.

L'ARAIGNÉE GIPSY

L'araignée Gipsy

(imitez une araignée avec la main)

Monte à la gouttière

(faites monter l'araignée sur son bras)

Tiens voilà la pluie

(agitez les doigts en descendant pour simuler les gouttes de pluie)

Gipsy tombe par terre

(mettez la main à plat par terre)

UN GRAND CERF DANS SA CABANE

Un grand cerf (mimez les bois du cerf avec les doigts sur la tête)
Dans sa cabane (tracez une maison imaginaire en l'air)
Regardait par la fenêtre (mettez la main en visière pour faire semblant de regarder quelque chose)
Un lapin venir à lui (mimez les oreilles du lapin avec les doigts dressés sur la tête)
Et frapper à l'huis (faites semblant de frapper à une porte)
Cerf, cerf, ouvre-moi (faites semblant d'ouvrir une porte)
Ou le chasseur me tuera (imitez le chasseur visant avec son fusil)
Lapin, lapin, (imitez le lapin)
Entre et viens (faites comme si vous faisiez venir le lapin vers vous en repliant plusieurs fois l'index)
Me serrer la main (serrez-lui la main)

Faites-lui des « bisous-chatouille » ! Quand il est allongé sur le dos, appuyez vos lèvres sur son ventre et soufflez doucement pour les faire vibrer.
Ce bisou fait plus d'effet sur un ventre nu.

CAUSE ET EFFET

Faites observer à votre enfant le résultat de certaines actions.

- Jouez avec l'interrupteur d'une lampe.
- Ouvrez et fermez les doubles-rideaux pour qu'il aperçoive le monde extérieur par la fenêtre, puis qu'il le voie disparaître.
- Ouvrez et fermez le robinet plusieurs fois de suite.
- Ouvrez et fermez un tiroir ou la porte d'un placard.
- Arrêtez le robot ménager et remettez-le en marche pour qu'il entende le bruit infernal qu'il fait.

MONTREZ LE MAUVAIS EXEMPLE

....

Laissez pendre un spaghetti de votre bouche.

Faites en sorte que votre bébé vous regarde et aspirez-le doucement jusqu'à ce qu'il disparaisse dans votre bouche. Si vous arrivez à balancer le spaghetti d'un côté à l'autre, c'est encore plus rigolo.

Le grand classique qui consiste à faire des bulles dans un verre avec une paille n'a pas fini de faire rire votre bébé. Remplissez un verre à moitié d'eau ; mettez une paille dedans et soufflez.

Votre enfant finira par vous imiter et continuera certainement ce petit jeu jusqu'au lycée !

Faites faire à votre bébé un voyage imaginaire sur un tapis magique. Installez-le sur le ventre sur une couverture, un petit tapis ou une serviette de toilette et tirez-le à travers la pièce. Les bébés qui ne marchent pas encore apprécient ce moyen très amusant de se déplacer.

Important : attendez que votre bébé ait au moins six mois pour le faire jouer à ce jeu.

Montrez à votre bébé

qu'il compte beaucoup pour vous.

Accordez-lui tous les jours

de longs moments d'attention.

DONNEZ-LUI CONFIANCE EN LUI

L'opinion que votre enfant aura de lui-même dépend essentiellement de celle que vous avez de lui. Si vous lui donnez une image positive de sa personne dès le départ, il en tirera profit à bien des égards dans les années à venir.

Votre approbation ou désapprobation se lit dans le ton de votre voix, les mots que vous prononcez, les expressions de votre visage et votre langage corporel. Si votre enfant a fait quelque chose qui vous déplaît, montrez-lui bien que c'est son comportement que vous désapprouvez, et non sa personnalité.

Éduquer, ce n'est pas remplir un vase, c'est allumer un feu.

William Butler Yeats

Incitez votre enfant à devenir autonome. Il va très vite apprendre à se servir d'une cuillère, à boutonner ses vêtements ou à actionner une poignée de porte. Aidez-le quand il en a vraiment besoin, mais laissez-le s'exercer et se perfectionner tout seul dans ce genre de tâches. En tant que parent, vous avez le devoir de lui apprendre à compter sur lui-même.

Quand il fait quelque chose de bien, soulignez-le. Félicitez-le quand il caresse gentiment le chat ou quand il veut bien prêter ses jouets. Si vous lui donnez cette habitude quand il est tout petit, vous pourrez un jour lui dire « Merci d'avoir sorti la poubelle sans que je te l'aie demandé ».

Témoignez du respect à votre enfant ; vous lui apprendrez ainsi à être respectueux. Dites-lui « s'il te plaît » et « merci » aussi souvent que vous le diriez à un adulte.

FAITES-LUI LA LECTURE

La lecture est une activité agréable pour le bébé comme pour la maman. Elle est également bénéfique à long terme. Une étude a démontré que des bébés de huit mois étaient capables de reconnaître et de mémoriser des mots apparaissant dans des histoires qu'on leur avait lues plusieurs fois. En faisant la lecture à votre enfant, vous stimulez le processus d'apprentissage du langage et vous l'aidez à se constituer une réserve de vocabulaire pour plus tard, quand il commencera à parler.

Prenez l'habitude d'aller à la bibliothèque de votre quartier. La plupart des bibliothèques organisent des séances de lecture pour différents groupes d'âges, des réunions et des rencontres avec des auteurs invités à présenter leur livre. Il existe aussi des systèmes de prêts entre bibliothèques qui permettent de faire venir dans un autre endroit ce que votre bibliothèque de quartier n'a pas en rayon. Vous pouvez aussi faire à votre enfant un cadeau durable sous la forme d'une carte d'adhérent à son nom.

Mettez le ton quand vous lisez une histoire à votre enfant. Les bébés sont sensibles à la forme sonore des mots et ils se souviennent mieux des mots et des phrases prononcés sur un ton enthousiaste. Ils apprennent aussi à en interpréter le sens en fonction de l'intonation de la voix qu'ils entendent.

ON PEUT PARLER ?

Entre quatre et six mois, vous allez constater que votre enfant commence à produire volontairement des sons. Pour vous, ce sera peut-être juste une façon incompréhensible d'exercer ses cordes vocales, mais sachez qu'ils peuvent avoir un sens. Votre bébé vous a entendu parler, il a enregistré les variations subtiles dans votre intonation et la hauteur de votre voix, et ces vocalises sont, en fait, une première tentative de communication. Il a encore tellement à apprendre !

Parlez à votre enfant. Écoutez son babil et répondez-lui en imitant gentiment ses vocalises pour le convaincre que vous lui accordez toute votre attention quand il vous parle.

Enrichissez son vocabulaire. Souvenez-vous que les bébés enregistrent la plupart des mots qu'ils entendent dans les histoires et les chansons, et qu'ils les stockent pour les utiliser quand ils seront prêts à parler. Montrez-lui les objets du quotidien (bouteille, ours en peluche…) et nommez-les.

ASTUCE

Appelez les choses par leur nom.
Utilisez des mots simples,
mais choisissez le bon mot.
Apprenez-lui, par exemple,
qu'une vache est une vache
et non pas une « meuh-meuh ».

Les chansons sont un excellent moyen pour apprendre les noms des parties du corps. Il existe toutes sortes de chansons et de comptines (de nombreux sites Internet en proposent) pour aider les enfants à faire le lien entre un nom et la partie du corps qu'il désigne.

Une tendance vise à apprendre aux bébés des signes qui leur permettent de communiquer le plus tôt possible. Les parents le font déjà spontanément jusqu'à un certain point. Mais il s'agit d'un système de signes simples, qui permet au bébé d'exprimer encore mieux ses idées et ses besoins. Si cette idée vous séduit, je vous invite à lire *La Méthode Baby signs*, de Linda Acredolo et Susan Goodwyn (éditions Eyrolles). Ce livre fourmille d'exemples et propose un tableau de plus de cinquante signes.

Ces signes n'ont rien à voir avec ceux de la langue des signes.

IL PARLE ET C'EST UNE VÉRITABLE EXPLOSION !

Un jour (en principe, vers l'âge d'un an), votre bébé va prononcer son premier mot reconnaissable. Ce mot, c'est souvent « maman », mais cela peut être « ballon » ou n'importe quel autre mot. Bientôt, un autre suivra, peut-être « papa ». Cela veut-il dire que votre bébé a mis un an pour apprendre deux mots ? Pas du tout. En fait, il y travaille activement, sur ces mots et sur de nombreux autres, depuis des mois.

À ce stade, l'apprentissage reste toutefois sélectif. Un bébé de dix mois est capable d'identifier de nombreux objets par leur nom, mais il s'intéresse beaucoup plus au nom des objets qui lui plaisent (d'où « maman »). Pour aider votre bébé à développer ses capacités de langage, parlez-lui de ce qui l'intéresse. Vous pouvez notamment utiliser son nom comme point de départ pour apprendre de nouveaux mots. Des chercheurs ont découvert que le fait d'associer le nom d'un bébé à d'autres mots aidait ce dernier à les mémoriser : par exemple, « c'est la cuillère d'Alice ». Si vous répétez l'exercice avec différents mots nouveaux, votre bébé va systématiquement montrer plus d'intérêt pour les mots venant après son nom.

Dans les mois qui suivent, le cerveau de votre bébé stocke des mots dont quelques-uns vont être exprimés verbalement de temps à autre. Au début, son langage s'apparente un peu à du charabia, mais il a beaucoup de choses à dire. Non seulement il apprend à énoncer à voix haute le nom des objets de référence, mais il apprend aussi le nom de nouveaux objets par un processus d'élimination. Une fois qu'il sait que le mot « cuillère » correspond à une cuillère et non à une fourchette, le reste suit – un mot après l'autre.

LÉONARD DE VINCI...
EN HERBE

À neuf mois, un bébé est prêt à débuter sa carrière artistique. Mais attention : une surveillance permanente et, parfois, une blouse de protection et un stock de serviettes de toilette sont nécessaires si vous ne voulez prendre aucun risque pour lui et pour vos meubles. Prévoyez aussi du savon et de l'eau à proximité.

PREMIERS PAS D'ARTISTE

Quand vous vous asseyez pour écrire un courrier ou pour régler vos factures, donnez à votre enfant une grande feuille de papier et un (un seul !) gros crayon de cire non toxique. Au début, vous le verrez donner des petits coups sur la feuille, mais il se mettra rapidement à imiter les mouvements que vous faites.

Faites-lui faire de la peinture au doigt avec de la nourriture ! Étalez du papier sulfurisé sur le plateau de sa chaise haute et donnez-lui du gâteau de riz, de la purée de pommes de terre ou de la bouillie de flocons d'avoine pour faire avec ses doigts des dessins qu'il pourra déguster sans aucun risque.

DES ÉTIQUETTES À COLLER PARTOUT

Fabriquez des étiquettes avec des matériaux non toxiques et montrez à votre enfant (il doit déjà être suffisamment grand pour cela) comment créer une mosaïque. Dessinez vos motifs sur du papier avec des feutres. Découpez les formes et passez de la « colle » (1 paquet de gélatine aromatisée mélangé à 2 cuillères à soupe d'eau bouillante) au pinceau sur l'envers du dessin. Laissez sécher. Il suffit ensuite de lécher les formes pour qu'elles collent sur du carton ou du papier.

PÂTE À MODELER MAISON

Lancez-vous tous les deux dans la sculpture !

Évitez les pâtes à modeler toxiques ou qui déteignent sur les vêtements. Vous pouvez très bien fabriquer vos propres mélanges tout aussi amusants et gais à l'aide d'ingrédients non toxiques.

230 g de farine

240 ml d'eau

115 g de sel

1 cuillère à soupe d'huile végétale

2 cuillères à café de bicarbonate de soude

Colorant alimentaire au choix

1. Mélangez tous les ingrédients dans une casserole anti-adhésive à fond épais ; mélangez bien. Faites chauffer à feu doux en remuant constamment.

2. Lorsque le mélange forme une boule, versez celle-ci sur une surface propre et malaxez-la jusqu'à ce qu'elle soit lisse et élastique. Laissez refroidir complètement. Stockez dans un récipient hermétique et gardez au réfrigérateur deux semaines maximum.

PEINTURE AU DOIGT NON TOXIQUE

Si votre bébé se retrouve la figure barbouillée de votre « peinture maison », vous n'aurez pas à vous inquiéter car elle est sans danger. En plus, elle se lave facilement !

360 ml d'eau froide

230 g de farine

2 cuillères à soupe de sel

300 ml d'eau chaude

Assortiment de colorants alimentaires

1. Versez l'eau, la farine et le sel dans une casserole à fond épais et faites chauffer à feu doux. Avec un fouet ou un batteur électrique, fouettez le mélange jusqu'à obtention d'une pâte lisse. Ajoutez de l'eau chaude ; faites bouillir jusqu'à ce que le mélange épaississe.

2. Retirez la casserole du feu. Ajoutez le colorant alimentaire et fouettez à nouveau pour obtenir une pâte lisse. Vous pouvez faire une grande fournée de la même couleur ou plusieurs portions de couleurs différentes. Conservez les portions non utilisées au réfrigérateur deux semaines maximum.

DANSE AVEC BÉBÉ !

Les bébés adorent la musique. Même si vous avez exposé votre bébé à différents rythmes pendant sa vie in utero, il est très probable qu'après la naissance, il ait une préférence pour un genre particulier. Des chercheurs d'Harvard ont découvert que lorsque l'on faisait écouter à des bébés un morceau de musique mélodieuse, et qu'on leur faisait ensuite écouter le même morceau avec un arrangement rendu dissonant grâce à des secondes mineures, ces derniers manifestaient une préférence très nette pour la musique harmonieuse.

Autrement dit, le vieil adage selon lequel la musique adoucit les mœurs reste vrai. Par conséquent, faites en sorte que la musique accompagne la vie quotidienne de votre petit monstre en culottes courtes.

La musique n'est pas uniquement divertissante ; elle participe aussi au développement du cerveau. Une étude récente montre que l'éducation musicale chez les enfants de trois à cinq ans renforce les capacités spatiales et les facultés d'abstraction nécessaires en mathématiques et en sciences. S'il apprécie la musique dès son plus jeune âge, votre petit ingénieur en herbe aura plus de chances de réussir à l'école plus tard.

LES SORTIES DE VOTRE BÉBÉ

Où aller et que faire avec votre bébé ? Les bébés adorent être stimulés et découvrir le monde qui les entoure. Voici quelques conseils pour que rien ne vienne gâcher vos après-midis ensemble :

- Faites en sorte que votre bébé n'ait pas faim et qu'il se soit bien reposé avant de sortir.
- Mettez-lui une tenue adaptée au temps qu'il fait.
- Attention de ne pas le sur-stimuler.
- Soyez prêts à ramasser vos affaires rapidement pour rentrer à la maison en cas de besoin.

RANDONNÉE

Si votre bébé est encore assez petit pour cela, portez-le en écharpe (voir page 83) sur votre ventre, pour qu'il voie ce que vous voyez plutôt que de regarder derrière vous. Pour éviter les risques de blessure, choisissez un chemin dégagé, à l'écart des branches et des chutes de pierre.

CHANTONS SOUS LA PLUIE

La pluie est un phénomène naturel qui permet de nettoyer et de nourrir la terre. Alors enfilez une tenue adéquate et allez faire un tour sous la pluie. Faites écouter à votre bébé la symphonie des gouttes de pluie tombant sur votre parapluie et par terre. Ou si vous préférez rester au sec, observez-les en train de couler sur la fenêtre depuis l'intérieur de la maison.

Et ne laissez pas un vilain orage effrayer votre bébé : accueillez les éclairs avec des exclamations de joie et éclatez de rire quand un coup de tonnerre retentit.

PLAGE ET SOLEIL

Les images, les sons et les textures que votre bébé peut découvrir sur une plage sont un émerveillement pour lui. Faites-lui sentir le sable qui coule entre ses doigts, caresser un coquillage ou tremper ses pieds dans l'eau. Pensez simplement à protéger sa peau délicate du soleil !

AU PAYS DES ANIMAUX SAUVAGES

Allez vous promener dans un zoo et renseignez-vous pour savoir s'il y a des bébés animaux que vous pourriez montrer à votre enfant. N'oubliez surtout pas d'imiter le cri de chacun des animaux que vous voyez. Il s'amusera et apprendra en même temps plein de choses.

VISITE AU MUSÉE

Quel que soit le musée (art, sciences ou histoire naturelle), votre enfant trouvera toujours quelque chose d'intéressant à regarder. Les enfants adorent contempler les tableaux. Par conséquent, si vous aimez l'art, faites-vous aussi plaisir. Ne vous attardez pas si vous voyez que votre progéniture ne partage pas votre enthousiasme pour l'art moderne !

Les enfants sont comme les marins :
où que se portent leurs yeux,
partout c'est l'immense.

Christian Bobin

CHAPITRE 7

PRÉPARER L'AVENIR

CHAPITRE 7

Vous avez peut-être l'impression que votre enfant restera petit toute sa vie, mais il ne le restera pas. Un jour, il délaissera ses jouets et fera les premiers pas qui lui permettront de se trouver, et de trouver sa place, dans le monde. Avant que n'ayez eu le temps de dire ouf, il aura appris à conduire, choisira une tenue de soirée et s'apprêtera, qui sait, à quitter le nid pour aller faire ses études ailleurs.

De nombreux éléments contribuent à la formation de son esprit, à sa réussite scolaire et à sa socialisation, mais ce sont les actions que vous entreprenez aujourd'hui qui vous aideront tous les deux à vous préparer pour affronter les difficultés qui vous attendent. Vous allez conserver les souvenirs des événements qui ont marqué le passé, mais vous allez l'aider à s'en créer de nouveaux – maintenant et dans les jours et les années à venir.

Le père et la mère doivent tout
à l'enfant. L'enfant ne leur doit rien.

Jules Renard, *Journal*

Créez une bibliothèque pour votre bébé. Les livres constituent l'un des outils les plus importants pour aider votre enfant à découvrir le monde. Bien savoir lire est aussi une compétence essentielle. Il n'est donc jamais trop tôt pour lui proposer des histoires, de la poésie et de la littérature.

Une fois que votre enfant se mettra à aimer la lecture – et cela commence par celle que vous lui faites – vous aurez l'impression de ne jamais avoir assez d'ouvrages sous la main. Passez le message à votre famille et à vos amis : qu'ils ne se privent pas de lui offrir des livres.

QUELQUES CONSEILS DE LECTURES

Choisissez pour votre bébé des livres riches en couleurs, dont les phrases présentent un certain rythme (les rimes sont aussi très efficaces). L'histoire, s'il y en a une, doit être très simple et bâtie sur la répétition. Recherchez l'interactivité.

SES PREMIERS LIVRES

Livres à toucher :

- *Babar, Mon livre à toucher* (éditions Hachette Jeunesse. Auteur Jean-Claude Gibert, 8 p.)
- *Mon livre en tissu* (éditions Usborne. Auteur Fiona Watt, illustrations Stacey Lamb.)
- *Bonne nuit, Petit Ours* (éditions Quatre Fleuves. Auteur Peggy Pâquerette, 8 p. avec accessoires)
- *Tout doux mon premier livre* (éditions Albin Michel Jeunesse. Livre tissu, 8 p.)
- *Mon tout premier livre pour dormir* (éditions Nathan, collection « Mon tout premier ». Auteur Catherine Jousselme, illustrations Fiona Land, 12 p.)
- *Java la poule* (éditions Seuil Jeunesse, collection « Les papattes ». Auteur Yves Got. Livre-tissu, 8 p.)

Livres à regarder :

- *Mon corps - Imagerie des Bébés* (éditions Fleurus. Auteurs Émilie Beaumont, Nathalie Bélineau. 16 p.)
- *Bébé Koala* (éditions Hachette Jeunesse. Auteurs Nadia Berkane, Alexis Nesme) : 3 titres sur les premières notions (chiffres, couleurs, formes)
- *L'imagier de T'choupi* (éditions Nathan. Illustrations Thierry Courtin. 72 pages + 4 planches de loto)
- *Le grand imagier* (éditions Gallimard Jeunesse, collection « Mes premières découvertes imagiers »)
- *Mon imagerie 2-3 ans en questions-réponses* (éditions Play Bac. Auteurs A. Goraguer, A. Joncheray, B. Legendre et E. Leplat, 100 p.)

Livres à raconter :

Laissez-vous séduire par les nombreux albums réalisés par des illustrateurs talentueux.

GARDER LES SOUVENIRS

Commencez à tenir un journal, ou bien continuez celui que vous aviez commencé pendant votre grossesse. Quand vous serez debout au milieu de la nuit, profitez des moments où vous n'allaitez pas votre bébé pour écrire. Notez ce qui vous passe par la tête et ce que vous ressentez à ce moment-là ; vous pourrez ensuite faire partager ce récit très particulier à votre enfant. Mon journal, aujourd'hui en lambeaux, continue à être régulièrement sorti des rayonnages de notre bibliothèque, même au bout de vingt-deux ans !

ASTUCE

Vous avez évidemment décidé d'immortaliser par des photos ou des vidéos les moments importants, comme son premier anniversaire ou ses premières vacances. Cependant, n'oubliez pas les petits événements de la vie quotidienne comme le bain, les câlins avec le grand frère ou les moments où il dort comme un ange.

SOUVENIRS, SOUVENIRS

Créez un scrapbook, autrement dit un montage d'album-souvenirs. À la différence de l'album photo, le scrapbook contient des « petits morceaux » (*scraps* en anglais) des événements passés. Vous le remplirez avec des souvenirs tels que le faire-part de naissance, une mèche de cheveux de votre bébé datant de sa première coupe, ou encore le billet d'entrée au cinéma de son premier film.

Conservez une boîte à souvenirs. Vous y mettrez ses premiers chaussons, ses jouets préférés, ses premières œuvres d'art et toutes les petites babioles auxquelles votre enfant est attaché. Gardez les mots de félicitations que vous avez reçus au moment de sa naissance ; vous les ressortirez quand vous évoquerez ensemble le moment où il est venu au monde.

Achetez ou fabriquez un coffret-souvenir dans lequel vous enfermerez des lettres écrites par vos proches et un cahier dans lequel chacun pourra écrire ce qu'il veut. Plus tard, quand il l'ouvrira, votre enfant découvrira comment était la vie à ce moment-là.

Écrivez l'histoire de votre famille. Créez un livre spécial qui soit à la fois un album photos, un scrapbook et un journal ; il servira à relater l'histoire de votre famille et à transmettre son héritage culturel. Ajoutez-y si possible un arbre généalogique faisant apparaître un maximum de générations. Demandez à un ancien de la famille de vous aider à retrouver toutes les informations nécessaires. Si vous avez des trous à combler, vous pourrez trouver de l'aide sur l'un des nombreux sites de généalogie qui existent sur Internet ; cela vous permettra peut-être de retrouver les dates de naissance, de mariage ou de décès qui vous manquent.

Passez au numérique. Aujourd'hui, rien de plus facile que de créer un album numérique à partir des nombreux modèles et thèmes téléchargeables sur Internet ou des logiciels commercialisés. Les albums numériques sont faciles à illustrer avec des dessins ; vous pouvez aussi y insérer vos propres légendes. Ils sont également faciles à envoyer aux amis et à la famille par courrier électronique, et peuvent être mis à jour à n'importe quel moment.

Faites vos propres cartes postales de vacances.
Rassemblez la famille pour un portrait annuel que vous utiliserez comme carte postale de vacances. C'est une merveilleuse façon d'envoyer un message personnalisé aux amis et à la famille, surtout s'ils vivent loin. C'est aussi un excellent moyen d'immortaliser l'évolution de la famille au fil des années.

ORGANISEZ UN GROUPE DE « JEU »

Les bébés provoquent les rencontres ! Les occasions de se lier avec d'autres parents de bébés ne manquent pas : amis, voisins, membres de votre paroisse, collègues de travail ou personnes dont vous avez fait la connaissance au parc ou à la bibliothèque. Les bébés de moins d'un an ne jouent pas vraiment ensemble, mais ces rencontres peuvent procurer à leurs parents un répit bien mérité.

Vous pouvez aussi organiser des réunions au cours desquelles deux ou trois parents surveillent plusieurs enfants, les leurs plus quelques autres, ce qui permet aux parents de ces derniers de déjeuner tranquillement ou de faire un peu de shopping sans leur bébé pendant ce temps.

ASTUCE

Mettez en place avec vos amis un système de prêt de jouets et de jeux. Cela vous permettra d'échanger ceux dont votre enfant s'est lassé contre de nouveaux. Au bout de quelques semaines, vous pourrez les récupérer !

IL N'EST JAMAIS TROP TÔT

Ouvrez un compte épargne à votre bébé. Vous serez surpris de voir ce que des petites sommes versées régulièrement peuvent produire à long terme. Il suffit d'y déposer 10 euros chaque semaine pour que son capital se monte à presque 10 000 euros quand il aura atteint l'âge de 18 ans. Si vous mettez 25 euros sur son compte, il disposera de presque 25 000 euros à sa majorité – pas mal pour débuter dans la vie ou payer ses études.

Dès que vous le pouvez, faites un versement supplémentaire sur son compte. Ces sommes peuvent provenir d'un remboursement d'impôts, d'un héritage, d'une rente, de cadeaux faits par la famille ou les amis...

Commencez à planifier l'avenir de votre patrimoine et de votre famille. La plupart des gens n'y pensent que quand ils sont vieux. Or, votre enfant est le « bien » le plus précieux que vous ayez, quelle que soit votre richesse sur le plan financier et immobilier. Rédigez un document que vous remettrez à votre notaire et dans lequel vous aurez donné des instructions à faire valoir auprès d'un tribunal au cas où vous ne seriez plus en mesure de vous occuper de votre enfant.

Économisez vos petites pièces. Gardez la monnaie du pain ou de votre petit café du matin et mettez-la tous les soirs dans une tirelire spéciale. Vous serez étonné de la vitesse à laquelle l'argent s'accumule. Demandez des rouleaux pour pièces de monnaie à la banque et déposez régulièrement toutes les petites économies que vous avez ainsi mises de côté sur le compte de votre enfant. Quand il sera assez grand pour en faire autant, vous lui montrerez le bon exemple.

Vérifiez que tous vos contrats d'assurance (vie, invalidité, prêt...) sont à jour. Après tout, vous voulez que votre bébé soit à l'abri du besoin s'il vous arrivait quelque chose. Si vous n'avez aucune assurance de ce genre, qu'attendez-vous ?

CALENDRIER DE VACCINATION

L'une des grandes réussites médicales du XIXe siècle a été la quasi-éradication des principales maladies graves de l'enfant comme la poliomyélite, la coqueluche, la diphtérie.... Cependant, quelques-unes perdurent toujours, et il est impératif que le système immunitaire de votre enfant puisse les combattre. Aussi votre enfant doit-il être à jour de ses vaccins avant son deuxième anniversaire. Parfois des rappels sont nécessaires.

Vaccin	1er mois	2e mois	3e mois	4e mois	9-12 mois	13-18 mois
BCG (contre la tuberculose)	administré en une fois, avant 3 mois.					
TétraCoq (contre la diphtérie, le tétanos, la poliomyélite, la coqueluche)		×		×	×	
Contre les invasions invasives à pneumocoque		×		×	×	×
R.O.R (contre la rougeole, les oreillons, la rubéole)					×	
Contre l'hépatite B	administré en deux fois, souvent associé avec le vaccin contre l'hépatite A (1 seule piqûre), avant 2 ans.					
Varicelle					×	

N.B. Le nombre exact des doses et le moment précis de leur administration varient selon la marque de vaccin utilisée.

Fortifiez les branches de votre arbre généalogique, mais conservez-leur une certaine souplesse. Votre enfant représente, certes, la génération suivante, mais les valeurs qu'il porte en lui resteront ancrées dans son passé. Même si vous partagez avec lui l'héritage et les traditions que votre famille honore, aidez-le à s'intéresser aussi à ceux de familles différentes de la vôtre, et à les respecter.

Exposer son enfant à différentes cultures dès son plus jeune âge – par le biais d'histoires ou par une confrontation directe – est un bon moyen pour lui instiller les notions de diversité et de tolérance. Rappelez-vous aussi que ce qui l'influence le plus dans ce domaine, c'est votre propre attitude envers les autres.

Enfants d'un jour, ô nouveaux-nés,
Au Paradis, d'où vous venez,
Un léger fil d'or vous rattache

À ce fil d'or
Tient l'âme, encor(e)
Sans tache.

Alphonse Daudet

RESSOURCES

REVUES

Proposent de nombreuses rubriques très intéressantes sur la santé, l'alimentation des bébés, sur la vie quotidienne des enfants de tout âge :

– *Famili*

– *Parents*

– *Enfant*

LIVRES

– *Bébé Bio (Recettes bio pour tout-petits)*, de Lizzie Vann, Hachette, 2000

– *Mon bébé bio : l'alimentation naturelle de la maman et du bébé*, de Ralf Moll, Terre Vivante éditions, 2001

– *Maman Bio. Mon bébé de la naissance à deux ans*, de Martine Laganier, Claude Didierjean-Jouveau, éditions Eyrolles, 2008

– *Petits pots maison pour bébé*, de Isabelle Lauras, Leduc.s éditions, coll. « Poches », 2008

L'hygiène naturelle de l'enfant : la vie sans couches, de Sandrine Monrocher-Zaffarano, Jouvence éditions, 2005

SITES INTERNET

www.natiloo.com

www.kidybio.com

www.bjorg-bebe.fr

www.bebe-au-naturel.com

www.bebe-trucs.com/

www.mondebio.com/cosmetique-bio-enfants

ANNUAIRES DES ACTEURS DU BIO ET DU COMMERCE ÉQUITABLE :

– Annuaire Vert (consultable en ligne) : www.annuairevert.com

– Agence bio (groupement d'intérêt public qui réunit plusieurs institutions françaises impliquées dans le développement et la promotion de l'agriculture biologique) : http://annuaire.agencebio.org

– France Nature (répertoire des fournisseurs et des producteurs de produits biologiques et naturels en France) : www.francenature.fr

MAGASINS BIO EN FRANCE :

– Naturalia (magasins d'alimentation bio en région parisienne)

– La Vie Claire (points de vente répartis sur tout le territoire français)

– Eau Vive (enseigne présente en Rhône-Alpes avec des points de vente d'alimentation biologique, de compléments alimentaires et de cosmétiques naturelles)

– Biocoop (points de vente partout en France) : www.biocoop.fr

MAGASINS BIO EN BELGIQUE :

– Dame Nature : www.damenature.com

– Bio-Planet : www/bioplanet.be

MAGASINS BIO EN SUISSE :

– Voir le site BioSuisse : www.bio-suisse.ch
et Bio Actualités.ch : www.bioaktuell.ch

INDEX

D

E

F

N

O

P

R

S

T

V

Z